武林五賊
무림오적

무림오적 25

초판 1쇄 발행 2020년 8월 13일

지은이 ㅣ 백야
발행인 ㅣ 신현호
편집장 ㅣ 이환진
편집부 ㅣ 이호준 송영규 최종건 정재웅 양동훈 곽원호 조정범
편집디자인 ㅣ 한방울
영업·관리 ㅣ 김민원 조은걸 조인희

펴낸곳 ㅣ ㈜디앤씨미디어
등록 ㅣ 2002년 4월 25일 제20-260호
주소 ㅣ 서울시 구로구 디지털로 26길 111 JnK디지털타워 503호
전화 ㅣ 02-333-2513(대표)
팩시밀리 ㅣ 02-333-2514
E-mail ㅣ papy_dnc@dncmedia.co.kr
홈페이지 ㅣ www.ipapyrus.co.kr

값 8,000원

ISBN 978-89-267-0697-8 04810
ISBN 978-89-267-3458-2 (SET)

백야 신무협 장편소설

PAPYRUS ORIENTAL FANTASY

25

무림오적

武松五賊

PAPYRUS
파피루스

1장.

빌어먹을 놈의 무림인들

어쩌다가 이리되었을까.
천하의 무적가가 적의 추격과 기습을 걱정하고 경계해야 한다니,
도대체 지금 무슨 일이 벌어지고 있는 것일까.

1. 새벽

삐익! 삑!

성도부의 새벽이 천천히 밝아 오는 가운데, 일반인들에게는 들리지 않는 호각 소리가 다급하게 울려 퍼졌다.

유령신마교 사람들과의 전투가 종료된 후 객잔으로 귀환하던 제갈보운의 안색이 급변했다. 지금 들려오는 호각 소리는 무적가의 모든 연락 수단 중에서도 가장 긴급한 호출이었기 때문이었다.

제갈보운은 곧장 수하들과 함께 경신술을 펼쳤다. 나는 듯 빠르게 달려가는 그의 귓전으로 바람이 스쳐 지나가는 소리가 매섭게 파고들었다.

그렇게 다급하게 객잔으로 귀환하는 사람은 제갈보운 만이 아니었다. 성도부 전역 곳곳에 퍼져서 각자의 임무를 수행하던 무적가 사람들 모두 곧장 하던 일을 중지한 채 급급하게 객잔으로 되돌아왔다.

멀리 객잔의 모습이 어둠 속에서 흐릿하게 보일 때였다.

콰아앙!

귀가 멀 것 같은 굉음과 함께 객잔이 송두리째 무너져 내렸다. 지진이라도 일어난 것처럼 지면이 흔들리고 출렁거렸다. 흙먼지가 어둠보다 짙게 사위를 뒤덮었다.

제갈보운이 다급하게 소리쳤다.

"전력을 다해 달려와라!"

수하들에게 지시를 내린 그는 곧바로 내공을 최대한 끌어올리고 지면을 걷어찼다. 순식간에 그의 신형이 흙먼지로 가득 찬 어둠 저편으로 빨려 들어가듯 사라졌다.

흙먼지가 안개처럼 사방을 뒤덮고 있었다.

"형님!"

제갈보운은 하늘을 날 듯 경공술을 펼치며 예리한 눈빛으로 사위를 훑었다. 한바탕 격전이 있었던 듯 죽거나 크게 다쳐서 쓰러져 있는 자들이 곳곳에 있었다.

새파랗게 질려 있던 제갈보운의 안색이 한순간 환하게 밝아졌다.

"형님!"

그의 시선이 머무는 곳, 그곳에 제갈보광이 우뚝 서 있다가 그를 돌아보았다. 전투의 흔적은 역력했지만 크게 다친 곳은 없어 보였다. 천만다행이었다.

하지만 안도의 한숨을 내쉬기도 전, 제갈보운의 눈빛이 가볍게 흔들렸다.

'응?'

자신을 쳐다보고 있는 체갈보광의 표정은 망연자실했고 눈빛은 흐려 있었다. 마치 모든 걸 포기한 듯한, 혹은 체념한 듯한 얼굴이었다.

'무슨 일이 벌어졌기에?'

제갈보운은 내심 의아해하면서 더욱 빠른 속도로 제갈보광을 향해 날아갔다.

바로 그 순간이었다.

흙먼지 사이로 한 자루의 검이 소리 없이 날아들었다. 날카로운 파공성도 없었다. 한 가닥 공기의 떨림도 없었다. 그저 얼음 위를 미끄러지듯, 그 어떤 기척도 내지 않은 채 검은 빠르고도 은밀하게 제갈보광의 가슴을 꿰뚫었다.

"음?"

검이 제 가슴을 파고든 후에야 비로소 제갈보광은 반응했다. 그는 의아한 표정을 지으며 고개를 돌려 제 가슴팍을 내려다보았다.

"……이런."

뒤늦게 그의 얼굴이 일그러졌다. 고통이 빠르게 전신을 휘감았다. 그의 두 다리가 비틀거렸다.

"형님!"

지면에 안착한 제갈보운이 빠르게 그의 곁으로 달려가 얼른 부축했다. 하지만 이미 때는 늦었다.

막강한 진기가 실린 검에 격중당한 것이다. 내장이 손상되었을 뿐만 아니라, 엄중한 내상까지 입고 말았다. 피가 역류하여 제갈보광의 입 밖으로 주르르 흘러나왔다.

제갈보광은 부들부들 떨리는 손으로 제갈보운의 어깨를 쥐었다. 그의 눈썹이 파르르 떨렸다. 그는 피를 울컥 쏟아내며 입을 열었다.

"퇴…… 퇴각……."

그게 끝이었다. 제갈보광은 그 한마디를 남기고 고개를 떨궜다.

"형님!"

제갈보운은 그를 부둥켜안은 채 어찌할 바를 몰라 했다.

자신이 그를 부르지만 않았더라면, 그 목소리에 반응하여 제갈보광이 고개를 돌리지만 않았더라면, 그래서 전방에 대한 경계심을 잃지 않았더라면 결코 이렇게 어처

구니없게 목숨을 잃지는 않았을 것이다.

주변 백여 장을 안개처럼 뒤덮었던 흙먼지가 가라앉았다. 폐허로 변한 주변 전경이 천천히 그 모습을 드러냈다. 그 위로 한겨울 새벽의 희미한 햇빛이 내려앉고 있었다.

제갈보운과 제갈보광 주변으로, 뒤늦게 달려온 무적가 중진들이 모여들었다. 제갈보광의 죽음을 목도한 그들은 놀라고 당황하여 입만 벌린 채 아무 말도 하지 못했다.

그때였다.

"보령 형님……!"

누군가 다급한 목소리로 말했다. 일순 중진들의 시선이 일제히 한 방향으로 돌아갔다.

그리 멀리 떨어지지 않은 곳에 한 구의 시신이 아무렇게나 쓰러져 있었다. 바로 제갈보광의 오른팔 역할을 맡았던 제갈보령의 시신이었다.

"이런……."

사람들은 이를 악물거나 입술을 깨물었다. 그들은 새삼스러운 눈빛으로 주변을 둘러보았다.

전장의 광경은 참혹하기 이를 데가 없었다. 수십 명의 무적가 무사들이 피를 토한 채 곳곳에 나동그라져 있었다.

굳은 안색으로 죽은 자들의 모습을 돌아보던 중진들의

낯빛이 흙빛으로 변한 건 바로 그 직후의 일이었다.

"적들의 시신이 보이지 않는데?"

누군가 중얼거렸다. 그제야 비로소 사람들은 왜 이질적인 기분이 들었는지 깨달을 수가 있었다.

그렇다.

지금 이 주위에 쓰러져 있는 수많은 시신들 중에 적의 시신은 단 한 구도 없었던 것이다.

사람들의 머릿속이 혼란과 의문으로 뒤엉켰다.

도대체 어느 누가 감히 무적가의 절정고수들을 해치운 것일까. 또 어느 정도의 대규모 병력이 동원되었기에 이리도 처참한 광경을 만들고 사라진 것일까.

때마침 중진들을 뒤따라온 무적가 무사들이 당도했다. 그나마 정신을 차린 중진 몇 명이 수하들을 시켜 장내를 정리했다. 무적가 무사들은 침통한 표정으로 죽은 자들을 한곳으로 모으고 부상을 입은 자들을 치료했다.

거리는 한적했다.

평소라면 종을 울리며 두부를 팔러 나오거나 뜨거운 콩국물이 가득 담긴 수레를 끌고 나온 장사꾼들로 제법 활기차야 할 시간이었지만, 이날은 그렇지 않았다.

밤새도록 성도부 전역에서 비명 소리와 고함 소리, 병장기 부딪치는 소리들이 폭죽처럼 울려 퍼지는 가운데 백성들은 그저 문을 꽁꽁 걸어 잠그고 이불을 둘러쓴 채 벌벌 떨고만 있었다.

심지어 거리의 안전을 둘러보는 야경꾼들이나 포쾌들
역시 순찰을 돌다가 우연히 칼부림이 난무하는 광경을
마주 하고는 머리를 감싸 쥔 채 허둥지둥 그 자리를 벗어
나기에 급급했다.

무너져 내린 객잔 주변의 상황도 마찬가지였다. 인근
마을 사람들은 난리가 난 줄 알고 하나둘씩 창문 밖으로
고개를 내밀었다가, 무적가 무사들의 살기등등한 표정에
놀라 창을 걸어 잠갔다.

햇살이 사위를 밝히는 가운데, 모든 무적가 중진들은
침묵을 지킨 채 그 처참한 광경을 지켜보고 있었다.

그때였다. 제갈보광의 부관 한 명이 피투성이가 된 모
습으로 제갈보운에게로 다가왔다. 그를 알아본 무적가
중진들이 제갈보운 곁으로 몰려들었다. 궁금한 것도, 묻
고 싶은 것도 한가득이었던 것이다.

하지만 누구보다도 먼저 제갈보운이 그를 향해 다짜고
짜 질문을 던졌다.

"적의 수는?"

부관은 입술을 깨물다가 힘겹게 입을 열었다.

"세 명입니다."

"응? 세 명?"

"아니, 세 명이라니?"

"겨우 세 명에게 당했다는 게 말이 되는 소리인가?"

중진들이 놀라 앞다퉈 불신의 소리를 내뱉었다. 부관은 중진들이 눈을 부라리며 흥분하자 겁에 질린 듯 주춤거리며 물러났다.

그는 애써 침착함을 유지하며 말을 이어 나갔다.

"우리를 기습한 자들의 수는 확실히 셋이었습니다. 하나같이 흑의 무복에 복면을 뒤집어써서 정체를 알 수 없었지만, 대략 이십 대에서 사십 대 사이의 사내들로 추측됩니다."

"이십 대?"

"그런 애송이들에게 본가의 최정예들이 속절없이 당했다는 걸 믿으라는 말인가?"

"하지만 그 목소리를 들어 보면 이삼십 대, 아무리 많이 잡아도 사십 대 정도로 느껴졌습니다."

"으음, 도저히 믿을 수가 없다."

"셋이라는 숫자도 그렇고, 이십 대 애송이들의 기습이라는 것도 그렇고……."

중진들이 불쾌한 표정으로 고개를 내흔들었다.

제갈보운은 무심한 어조로 물었다.

"숨어 있는 자들은 없었느냐?"

부관은 허리를 숙인 채 대답했다.

"보지 못했습니다. 물론 기척도 느껴지지 않았습니다

만…… 갑작스레 엄청난 굉음과 함께 객잔 건물이 붕괴된 걸 보면 다른 동료들이 숨어 있었을지도 모릅니다."

"객잔이 갑작스레 붕괴된 건가?"

"그렇습니다. 객잔이 무너지면서 엄청난 흙먼지가 사방을 뒤덮었습니다. 가뜩이나 사위가 어두운 상태에서 흙먼지까지 뒤덮여 제대로 코앞을 볼 수도 없는 상황에서 놈들이 도주했습니다."

제갈보운과 무적가 중진들은 처연한 표정을 지은 채 묵묵히 부관의 말을 지켜듣고 있었다.

2. 퇴각

부관은 최대한 침착함을 유지하며 당시 상황에 대해서 정확하게 설명하려 애를 썼다.

그러나 사람들은 그의 설명을 들으면 들을수록 더욱 황당해하며 믿을 수 없다는 표정을 지을 수밖에 없었다.

'최소한 오십 명 이상의 본가 정예들이 진을 치고 있었을 것이다. 거기에 보(保) 자(字) 항렬 중 열 손가락 안에 꼽히는 고수들이 둘이나 있었다. 그런데 달랑 세 명의 젊은 애송이들이 기습을 펼쳐서 절반 이상의 목숨을 빼앗고, 그것도 모자라 보령, 보광 두 분까지 해치운 다음 거

짓말처럼 종적을 감췄다? 도대체 이걸 어찌 믿으라는 말인가?'

부관의 설명을 들은 자들은 대부분 그렇게 생각하며 설레설레 고개를 흔들었다. 그렇다고 지금 부관이 거짓말을 하는 기색은 전혀 보이지 않았다.

게다가 부관의 말을 믿지 못한 몇몇 중진들이 살아남은 무적가 수하들을 불러 따로 물었지만, 그들 또한 부관과 똑같은 이야기를 반복할 따름이었다.

"허어, 이거 참."

중진들은 믿어야 할지, 믿지 않아야 할지 모르겠다는 듯 난감한 표정을 지으며 고개를 저었다.

무거운 침묵이 모든 이들의 어깨를 짓눌렀다. 부관도, 중진들도 더 이상 입을 열지 않았다.

제갈보운은 고개를 살짝 숙인 채 뭔가 곰곰이 생각하다가 이윽고 결심한 듯 천천히 사람들을 둘러보며 말을 꺼냈다.

"퇴각하기로 합시다."

중진들의 눈이 휘둥그레졌다.

"아니, 그건……."

"복수를 하지 않고……."

그들의 목소리가 중구난방으로 터져 나오려는 순간 제갈보운이 손사래를 치며 중진들의 입을 막았다. 그리고

는 확실히 침착하고 냉정하게 가라앉은 목소리로 말을
이어 나갔다.

"그게 보광 형님의 유언이었소."

"허어……."

"그런 말씀을 남기셨소이까?"

제갈보운은 힐끗 제갈보광의 시신을 한 번 바라본 다음
다시 입을 열었다.

"설령 보광 형님의 유언이 아니라 하더라도 지금 상황
에서는 우선 퇴각한 후 전열을 정비하는 게 옳다고 생각
하오. 어쨌든 적은 단 세 명의 힘으로 오십 명 이상의 본
가 정예와 보광, 보령 형님들과 맞서 싸울 능력을 가진
괴물들이니까 말이오."

"으음."

"흠."

중진들은 신음을 흘릴 뿐 아무런 대꾸도 하지 못했다.

"비록 아직 삼백 명가량의 정예가 남아 있다고는 하지
만 적의 무위와 세력이 어느 정도인지 확인되지 않는 이
상, 계속해서 그들과 싸울 수는 없을 것이오."

제갈보운이 진중하게 말했다.

"그리고 내가 경험한 바, 이곳에는 유령교의 잔존 세력
들이 숨어 있소."

그의 말에 중진들은 깜짝 놀라 탄성을 내질렀다.

"유령교라니!"

"유령교가 아직 존재한단 말이오?"

"그렇소이다."

제갈보운은 고개를 끄덕이며 말했다.

"지금껏 나는 유령교의 봉공이 이끄는 무리들과 싸우다가 돌아온 참이었소."

"그렇다면 이곳을 기습한 세 명의 적도?"

"글쎄요. 그건 아닌 것 같소이다. 또 그래서 더욱 퇴각해야 한다고 생각하는 것이기도 하고."

제갈보운은 잠시 생각하다가 말을 이어 나갔다.

"부관이나 다른 생존자들의 이야기를 들어 보면 그들 셋 모두 사마외도가 아닌 정파의 무공을 사용하는 것 같다고 했소이다. 즉, 다시 말해서 그들은 유령교와는 또 다른 부류의 적이라는 뜻이 되오."

"허어, 그럴 수가……."

"아니, 정파의 무공을 사용하는 자들이 왜 우리를 공격한다는 말이오?"

"그건 나도 알 수가 없소. 단지 내가 아는 건 이곳 성도부에 최소한 세 부류 이상의 무시무시한 세력이 존재하며 그들 모두 우리를 압도하거나 최소한 맞서 싸울 수 있는 무위를 지녔다는 것이오."

제갈보운의 말에 사람들의 낯빛이 급격하게 어두워졌

다. 무적가 정예들을 압도하거나 최소한 맞서 싸울 수 있는 세력이 세 곳이나 있다니, 도대체 이곳 성도부는 복마전이라도 된단 말인가.

"게다가 이미 날이 밝은 상황이오. 밤새 숨죽이고 있던 성도부의 관아도 세인들의 이목이 있는 이상, 이제는 가만있지 않을 것이오. 그들이 나서기 전에 최대한 정리를 해야 하오."

애당초 계획도 그러했다.

오백의 정예를 동원하여 밤이 새기 전 십삼매를 찾는 게 제갈보광의 계획이었다. 그리고 도부에 입성할 때만 하더라도 능히 가능할 것이라 생각했다.

하지만 그 계획을 세웠던 제갈보광은 죽었고, 여전히 십삼매의 행방은 오리무중이었다. 게다가 유령교와 정체를 알 수 없는 세 명의 적까지 등장했으니, 아닌 게 아니라 이제는 한발 물러서서 다시 계획을 수립하는 게 옳은 일이었다.

"어쨌든 본가로 돌아가 삼숙의 지시를 따르는 게 최선이오. 본가의 전력을 모조리 동원하여 다시 이곳을 찾든, 최정예만 추려서 복수를 하러 오든 말이오."

제갈보운은 그렇게 자신의 생각을 정리했다. 어두워진 낯빛으로 가만히 듣고 있던 중진들이 하나둘씩 고개를 끄덕이며 그의 의견에 찬성했다.

제갈보운은 곧 각각의 중진들에게 역할과 책임을 부여했다. 지시를 받은 중진들은 곧 제각기 바쁘게 움직였다.

퇴각 준비는 빠르게 진행되었다.

시신들과 부상자들을 태울 마차와 수레들이 수배되었으며, 무적가까지 가는 동안 부상자들을 치료할 의생들도 데리고 왔다. 새벽부터 납치되듯 끌려온 수십 명의 의생들은 벌벌 떨며 마차에 올랐다.

"잠시만 시간을 내주십시오."

퇴각 준비 상황을 지켜보던 제갈보운에게 한 명의 노인이 다가와 말을 건넸다.

"말씀하시지요, 신안백(神眼伯)."

청수한 도인의 외양을 지닌 이 노인은 기존 무적구백 중 살아남은 인물들 중의 한 명이자, 제갈보운과 함께 유령교의 허 노야를 상대로 싸웠던 자였다.

신안(神眼)이라는 별호답게 사물을 꿰뚫어 보는 이치나 논리가 뛰어나며 또한 추격의 달인이기도 했다.

신안백은 정중한 태도로 말했다.

"신(臣)과 은형(隱形)은 이곳에 남고자 합니다."

제갈보운의 눈빛이 살짝 가늘어졌다. 하지만 곧바로 신안백의 의도가 무엇인지 짐작한 듯 한숨을 쉬며 입을 열었다.

"적은 우리가 짐작할 수 없을 정도로 막강한 무위를 지니고 있소이다."

"그들과 싸울 생각은 없습니다."

신안백은 침착하게 말을 이어 나갔다.

"단지 이곳의 적들이 어떤 인물들인지, 어느 정도의 세력을 지니고 있는지, 또한 십삼매는 어디로 숨었는지 알아내고자 할 뿐입니다. 그리하여 다시 본가의 정예가 이곳을 찾아왔을 때, 두 번 다시 오늘 같은 일이 일어나지 않도록 미연에 방지하고자 할 따름입니다."

"으음."

제갈보운은 신음을 흘렸다.

신안백과 은형백(隱形伯)이라면 확실히 믿을 만한 실력을 지니고 있었다. 한 명은 추격술의 달인이고, 한 명은 잠입술의 달인이었으니까.

"좋소이다."

제갈보운은 잠시 생각하다가 고개를 끄덕이며 천천히 입을 열었다.

"심부름할 수하 열 명 정도를 추려 함께 움직이시오."

"열은 너무 많습니다."

신안백은 고개를 저으며 말했다.

"저들도 방심을 하고 있지는 않을 터, 낯선 무리들이 우르르 몰려다니면 반드시 저들의 이목에 걸릴 겁니다. 셋이면 충분합니다."

그는 마치 미리 점찍어 둔 인물들이 있다는 투로 말을 맺었다. 제갈보운은 고개를 끄덕였다.

"신안백께서 알아서 하시오."

"그리하겠습니다."

신안백이 떠났다. 제갈보운은 속으로 한숨을 쉬며 중얼거렸다.

'저들의 활약 여부에 따라 앞으로의 일이 어떻게 진행될지 결정되겠구나.'

왠지 불안한 기분을 지우지 못한 채, 제갈보운은 다시 주위를 둘러보며 퇴각 준비를 하는 무사들을 독려했다.

퇴각을 결정하고 불과 두 시진도 채 안 되어 모든 준비가 끝났고, 무적가 사람들은 뒤도 돌아보지 않은 채 곧장 자리를 떠났다.

수십 필의 말과 수십 대의 마차와 수레들이 줄지어 성도부의 대로를 따라 남쪽으로 이동하기 시작했다.

그렇게 무적가 사람들이 사라지고 다시 한 시진 이상 흐른 후에야 비로소 성도부 포두와 포쾌들이 쭈뼛거리며 현장에 모습을 드러냈다.

그들의 어색한 표정과 행동을 보니, 무적가 사람들이 사라질 때까지 몸을 숨기고 있던 게 확실해 보였다.

"흠, 건물만 무너졌군. 죽은 자나 부상자의 모습은 전혀 보이지 않는데?"

그들은 곳곳에 남아 있는 핏물과 살점들을 애써 외면하면서 소리치듯 크게 말했다.

"그렇지? 그럼 객잔이 오래되어서 스스로 무너진 걸로 보고하면 되겠군! 물론 죽거나 다친 사람은 전혀 없는 게고."

"그렇습니다. 그걸로 이번 건은 종결지어도 될 것 같습니다."

"그래. 그럼 너희들은 이곳을 깨끗하게 치우고 정비하도록 해라. 아, 물론 아무 일도 벌어지지 않았으니까 그 어떤 흔적도 남아 있을 리가 없어야겠지?"

"알겠습니다."

포쾌들은 크게 대답한 후 서둘러 핏자국과 살점들을 치우기 시작했다.

그 광경을 지켜보던 포두가 길게 한숨을 쉬며 이마의 땀을 닦았다. 그러고는 고개를 설레설레 흔들며 투덜거리듯 말했다.

"빌어먹을 놈의 무림인들……."

* * *

퇴각 준비는 신속했지만, 퇴각 속도는 그리 빠르지 않았다. 마차가 흔들릴수록 의생들이 부상자들을 치료하기 힘들었고, 또한 그들의 상태가 악화될 수밖에 없었다.

그런 연유로, 무적가 행렬들은 성도부를 빠져나간 후에도 말을 달리지 못한 채 천천히 관도를 따라 무적가로 향했다.

제갈보운은 다급한 속내를 감추며 천천히 말을 몰다가 문득 생각이 난 듯 부관을 불렀다. 부관이 말머리를 돌려 가까이 다가오자 제갈보운이 낮은 목소리로 말했다.

"혹시 모르는 일이다. 주변 경계를 확실히 하도록 하라."

부관은 고개를 숙여 대답했다.

"그리하고 있습니다."

"그럼 지금보다 두 배의 인원을 풀어 더욱 경계하고."

"그리하겠습니다."

"본가에는 미리 연락을 보냈지?"

"성도부를 떠나기 전 다섯 마리의 전서구를 날렸습니다. 아마 모레 오전까지는 소식을 전해 들을 것입니다."

"좋아."

제갈보운은 관도를 따라 길게 이어진 행렬을 훑어보며 속으로 생각했다.

'이 속도라면 본가까지 최소한 보름은 걸릴 것이다. 그러니 전서구를 통해 보고를 듣는다면……'

전서구가 무적가에 당도할 때까지 이틀, 보고를 들은

수뇌부들이 토론을 통해 다음 계획을 세울 때까지 대략 사흘이 걸리리라. 그리고 그 결정에 따라 행동을 하게 되었을 때, 제갈보운 일행을 마중 나올 확률은 절반 정도 될 것이다.

'그러면 대략 열흘 정도 가면 본가의 원군과 합류할 수 있겠군.'

제갈보운은 길게 한숨을 내쉬었다.

'놈들이 우리를 추격할 리는 없겠지만 그래도 혹시 모르는 일이다. 그때까지 최대한 경계심을 늦추지 않아야겠지.'

어쩌다가 이리되었을까.

천하의 무적가가 적의 추격과 기습을 걱정하고 경계해야 한다니, 도대체 지금 무슨 일이 벌어지고 있는 것일까.

제갈보운은 애써 심호흡을 하며 분위기를 바꾸려 했지만 그럼에도 불구하고 한 번 우울하고 처량해진 마음은 쉽게 떨쳐지지 않았다.

3. 암살(暗殺)

날이 저물기 전 제갈보운은 관도에서 그리 멀리 떨어져

있지 않은 적당한 공터를 찾아 야숙을 준비했다. 수십 명의 무사들이 근처 마을을 찾아가 술과 음식, 차를 조달해 왔다.

날이 저물고 사위가 어두워지는 가운데 곳곳에 모닥불이 밝혀졌다.

수십 대의 마차와 수십 대의 수레들이 나란히 늘어선 가운데, 납치하듯 끌고 온 의생들은 수레 가득 실린 시신들을 힐끔거리며 공포와 두려움에 젖은 얼굴로 부상자들을 치료하기 시작했다.

아직 한겨울인 까닭에 시신들이 썩거나 썩는 냄새를 풍기지 않는 건 그나마 다행이었다.

제갈보운은 수하들이 조달해 온 삶은 돼지고기를 몇 점 집어 먹다가 입맛이 없는 듯 자리에서 일어났다. 부관이 한 입 가득 돼지고기를 쑤셔 넣은 채 허둥지둥 따라 일어섰다.

"됐다. 잠시 산책이나 하고 올 터니 너는 계속 식사하도록 하라."

제갈보운은 그를 제지하며 자리를 떴다.

희미한 달빛이 공터와 관도 위로 내려앉았다. 서슬 퍼런 북풍이 귀가 에일 정도로 차갑게 휘몰아쳤다.

제갈보운은 공터를 벗어나 관도 쪽으로 발길을 향했다. 이미 사위는 깜깜한 어둠에 잠식되었고, 오가는 행인들의 모습은 단 한 명도 보이지 않았다.

제갈보운은 뒷짐을 지며 길게 한숨을 내쉬었다. 이곳
으로 오는 동안 제갈보광의 부관을 통해 들었던, 또 다른
이야기가 그의 가슴을 짓누르는 것이다.

"정체를 알 수 없는 독인(毒人)에 의해 제갈보민 장로와 휘하
오십 명의 무적가 정예들이 몰살당했다고 합니다."

독인이라니.
유령교와 세 명의 신비인으로도 모자라 이제는 독인이
라니. 십삼매라는 계집의 행적은 묘연한 가운데, 꿈에도
생각지 않았던 적들이 곳곳에서 출몰하고 있는 것이다.
'독인을 만들 정도로 독술에 능한 문파는 강호무림을
통틀어도 불과 서너 곳밖에 되지 않는다. 그리고 그중에
본가와 척을 질 만한 문파는 단 한 곳도 없다.'
그러니 귀신이 곡할 일이라는 게다.
갑자기 성도부에 나타난 정체불명의 독인이 다짜고짜
무적가 사람들만 공격하여 몰살시키는 일이라는 게 과연
있을 법한 일일까?
'어쩌면 십삼매라는 계집이 연관되어 있을지도…….'
유령교 또한 기환이술(奇幻異術)에 능통한 사마외도의
집단이다.
하지만 그들이 독을 사용한다는 이야기는 들어 본 적이

없었다. 세 명의 신비인들 역시 독을 사용하여 제갈보광과 제갈보령들을 상대하지 않았다.

그렇다면 남은 건 십삼매뿐이었다. 물론 그녀에게 독인을 만들어 내는 재주가 있느냐 하는 건 아직 알 수 없는 일이지만, 어쨌든 저 성도부에 또 다른 세력이 존재하지 않는 한 십삼매에게 그 의혹이 쏠리는 게 가장 타당한 추론이라 할 수 있었다.

'아무리 성도부가 복마전과 같은 곳이라 할지라도 저들 말고 다른 거대한 세력이 있을 것 같지는 않으니까.'

제갈보운은 계속해서 성도부의 기묘한 세력들에 대해서 생각해 보았지만, 워낙 알고 있는 정보가 적었기에 더 이상 상념의 끈이 이어지지 않았다.

결국 그는 고개를 휘휘 내저었다.

"신안백과 은형백이 뭔가 알아내기만을 바랄 수밖에."

그는 기도하는 심정으로 그렇게 중얼거리며 발길을 돌렸다.

다시 공터로 되돌아온 제갈보운은 육십 명의 무사를 삼인 일조로 구성하여 보초를 서게 했다. 그리고 보초는 밤새도록 삼교대로 이어져서 공터 주변을 경계하게끔 지시했다.

그렇게 시간이 흘러 다시 날이 밝았다. 아침 식사를 준비하느라 분주한 가운데, 새벽 경계를 맡았던 조의 책임자가 허둥지둥 달려왔다.

그는 새파랗게 얼굴이 질린 채 제갈보운에게 보고했다.

"누군가 경비를 서던 무사들을 살해했습니다."

막 자리에서 일어난 제갈보운은 일순 비틀거릴 정도로 깜짝 놀랐지만 빠르게 냉정을 되찾으며 말했다.

"주위 사람들이 듣지 못하도록 낮은 소리로 말하라."

책임자는 식은땀을 흘리며 말했다.

"보초를 서던 육십 명 무사들을 모두 집합시켰는데 열두 명의 숫자가 부족했습니다. 그래서 공터 주변을 샅샅이 수색했더니…… 수풀 안쪽에 열두 구의 시신들이 가지런히 모여 있었습니다. 후미 쪽을 경계하던 자들이었습니다."

"이런."

제갈보운은 입술을 깨물었다.

행여나 하기는 했지만 그래도 결코 벌어지지 않을 거라고 생각했던 일이 발생한 것이다. 누군가 무적가의 뒤를 쫓아와 아무도 모르게 암살을 하고 있는 중이었다.

'도대체 이게 말이 되는 일이냐 말이다.'

세상 어느 누가 감히 무적가를 상대로 암살할 생각을 할 수 있을까. 어느 누가 사냥감을 몰듯 무적가의 뒤를 쫓을 수 있을까.

그야말로 미치지 않고서야 결코 상상조차 할 수 없는 일이었는데, 그런 기막힌 일이 지금 이곳에서 벌어지고 있었다.

제갈보운은 가늘고 길게 숨을 내쉬며 마음의 안정을 회복한 후, 차분한 어조로 물었다.

"사인은?"

"열두 명 모두 명문혈이 찔려 목숨을 잃었습니다. 검흔을 보건대 쾌검에 의해 당한 게 아닌가 사료됩니다."

제갈보운은 눈을 감고 당시 모습을 떠올려 보았다.

삼인으로 구성된 이십 개의 조가 서로 약 십여 장 간격을 두고 경비를 선 상황이었다.

그중 누구도 자신들의 등 뒤로 다가서는 인기척을 느낀 자가 없었으며, 또한 명문혈을 찔린 동료들이 하나둘씩 쓰러지는 순간에도 누구 하나 비명이나 고함 한 번 지르지 않았다는 게다.

이건 말이 안 된다.

기습을 펼친 인물이 저 공적십이마 정도의 무위를 가지지 않은 이상 결코 있을 수 없는 일이었다.

'나라면?'

제갈보운은 곧 고개를 저었다.

아무리 제갈보운이라 할지라도 그렇게 **빽빽**하게 서 있는 경비들 몰래 열두 명이나 되는 정예 무사들을 암살할 능력은 없었다. 그건 구백이나 죽은 제갈보광은 물론, 어쩌면 삼숙마저 불가능한 일이었다.

순간 섬전처럼 제갈보운의 뇌리를 스치는 생각이 있었다.

'세 명의 신비인!'

제갈보운의 눈이 크게 떠졌다.

'보광, 보령 형님들을 살해한 그들이라면…… 그들이 지금 우리의 뒤를 쫓고 있는 거라면…….'

등골을 타고 소름이 퍼졌다.

만약 그게 사실이라면 지금 놈들은 무적가 본산에 당도하기 전에 삼백 명의 무사들을 모두 해치워 살인멸구를 하려는 작정인 것이다.

'이 무슨…….'

제갈보운은 입술을 깨물었다.

주르륵.

한 줄기 핏물이 찢어진 입술을 타고 흘러내렸다. 놀란 수하가 황급히 허리를 숙였다.

제갈보운은 손을 들어 거칠게 피를 닦아 내며 말했다.

"중진들을 이곳으로 모셔 와라. 최대한 빨리 식사를 마치도록 모든 무사들에게 전달하고."

"존명."

경비 책임자는 서둘러 자리를 떴다.

홀로 남게 된 제갈보운은 체면도 생각하지 않은 채 그

자리에 풀썩 주저앉았다. 식은땀이 흥건하게 그의 이마를 적시고 있었다.

반 시진 후.

행렬은 공터를 벗어나 관도로 올랐다. 어제보다 행군의 속도가 두 배는 빨라졌으며 마차와 수레 주변으로 말을 모는 이들의 눈빛은 날카로운 살기로 번들거렸다.

의생들은 이 속도로 행군하면 부상자들의 상태가 더 악화될 수 있다고 건의하려 했지만 주변 무사들의 새빨갛게 번들거리는 눈빛을 보고는 한 마디도 할 수가 없었다.

말로 표현할 수 없는 팽팽한 긴장감이 행렬 전체를 휘감고 있었다.

그날 저녁, 제갈보운은 다시 주변 공터를 찾아 행렬을 이동시켰다. 이번에는 전날과 달리 마차와 수레를 원형으로 배치한 후, 모든 무사들을 교대로 보초를 서게 했다. 백삼사십 명의 무사들이 마차와 수레를 중심으로 해서 거의 틈이 보이지 않을 정도로 빽빽하게 늘어섰다.

"조금이라도 수상한 느낌이 들면 바로 소리쳐라. 뭔가 수풀이 흔들리거나 벌레가 움직이는 기척이 느껴지면 곧바로 무기를 빼 들고 모든 보초들에게 연락하라."

제갈보운은 주의를 주고 또 주었다.

다음 날 새벽.

그는 누구보다도 먼저 자리에서 일어났다. 서둘러 마차 밖으로 나선 그는 굳건히 버티고 서 있는 백여 명의 무사들을 둘러보며 안도의 한숨을 내쉬었다.

그때였다.

이번에도 후미 쪽 경계를 맡고 있던 책임자가 귀신이라도 만난 듯한 얼굴로 달려왔다.

동시에 제갈보운의 얼굴이 일그러졌다. 그의 보고를 듣지 않아도 알 것 같았던 것이다.

아니나 다를까.

헉헉거리며 달려온 책임자는 호흡을 가다듬을 새도 없이 입을 열었다.

"칠 개 조의 모습이 보이지 않습니다."

칠 개 조, 즉 스물 한 명의 행방이 묘연하다는 것이다.

제갈보운은 새파랗게 질린 얼굴로 빠르게 지시를 내렸다.

"근처 숲을 샅샅이 뒤져라."

그리고 일각 후, 숲 한쪽 구석에 나란히 놓여 있는 스물 한 구의 시신이 발견되었다.

2장.

보이지 않는 적

제갈보운은 입술을 깨물었다.
'이렇게까지 몰린 적이 있었던가.'
기억에 없었다.
'이렇게까지 적을 두려워하고 초조해하고 불안에 떤 적이 있었던가.'

1. 부럽네

"지독하게 했네요."

보고를 받은 십삼매는 고개를 흔들며 말했다.

"아무런 죄도 없는 사람들인데 말이에요."

십삼매의 앞에는 한 사내가 무릎을 꿇고 있었는데, 언제나 그녀에게 보고를 올리던 자였다. 사내는 무심하고 차분한 어조로 말했다.

"밤새 무적가가 살해한 흑도방파 사람들의 수는 모두 사백오십칠 명, 세 곳의 조직이 몰살당했으며 두 곳의 문파가 붕괴되었습니다. 특히 흑룡방의 몰살로 인해 차후 성도부 뒷골목에 대한 패권 싸움이 치열해질 것 같습니다."

"고굉은요?"

"무사합니다. 지금은 세 명의 심복과 함께 강만리의 화평장에 몸을 의탁하고 있습니다."

"그럼 결국 성도부 뒷골목은 다시 그가 지배하게 될 거예요."

"의외로 고굉을 높이 평가하시는군요."

"의외랄 것도 없어요. 흑도방파 인물들 중에서는 그나마 고굉만 한 자가 없으니까요. 또 다른 이야기는요?"

"허 노야의 피해도 심각합니다. 화서를 비롯하여 백팔호교위들 중 이십여 명 이상이 목숨을 잃었으며, 금룡회의 조직원들은 거의 몰살당하다시피 한 것으로 보입니다."

"금룡회 같은 거야 얼마든지 새로 만들 수 있으니 상관없어요. 하지만 백팔호교위 중에서 이십여 명 이상 죽은 건 꽤 큰 손실이네요. 허 노야의 생각으로는 그들을 중심으로 해서 새로운 유령교를 만들고자 했을 텐데 말이죠."

"그래도 루호가 살아 있다는 게 천만다행입니다. 루호야말로 허 노야의 분신이자, 백팔호교위의 전부라고 할 수 있는 인물이니까요."

"마치 내게 있어서의 당신처럼 말이죠?"

십삼매의 달콤한 질문에 사내는 아무런 대답을 하지 않았다. 대신 곧바로 화제를 돌렸다.

"이번 싸움에서 확실한 승리를 거둔 건 강만리 무리라 할 수 있겠습니다. 그들은 단 네 명의 힘으로 저 무적가 본진을 궤멸시켰습니다. 그동안 본 황계에서 심혈을 기울여 키운 결과가 슬슬 나타나고 있는 것 같습니다."

"아니에요. 아직 부족해요."

십삼매는 냉정하게 말했다.

"네 명이라고는 하지만, 강 오라버니는 거의 아무것도 하지 않았어요. 또 담 형부에 비해서 군악과 예추의 무위가 아직 궤도에 오르지 못했어요. 최소한 그 둘이 담 형부와 일대일로 싸워 버틸 정도의 실력이 되어야만 비로소 무림오적이 완성됐다 할 수 있어요."

사내는 잠시 침묵을 지키다가 불쑥 질문을 던졌다.

"설벽린은 어찌 생각하십니까?"

확실히 무림오적들 중 설벽린은 최하의 무위를 지니고 있었다. 그렇다고 그들 중 두뇌가 가장 뛰어나고 지혜가 출중하여 무리를 이끄는 역할을 하는 것도 아니었다.

아닌 게 아니라 지금의 설벽린은 무림오적 중 한 명이라고 하기에는 너무나도 부족한 실력과 재능, 무위를 보이고 있었다.

"상관없어요."

하지만 십삼매는 별것 아니라는 투로 말했다.

"다섯 명 모두 뛰어나면 좋겠지만, 또 그러면 그런 대로 문제가 생길 수가 있어요. 지금 설벽린의 경우에는 다른 네 명을 받쳐 주고 뒤를 지켜 주는 역할만으로도 충분해요. 영 아니다 싶으면 다른 후보로 교체해도 상관없고요."

거기까지 말한 십삼매는 잠시 숨을 고르다가 천천히 말을 이어 나갔다.

"어쨌든 지금 여기까지 온 상황에서는 더 이상 다섯 명이라는 숫자가 중요한 게 아니에요. 무림오적, 그 명칭 자체가 중요한 거죠. 오대가문을 상대로 싸우는 다섯 명의 절정 고수. 바로 그런 모습이 필요한 거예요. 설벽린이 죽거나 예추가 죽어도 상관없어요. 다른 사람으로 교체하면 되니까요."

"알겠습니다."

"그리고 석정은 어찌 되었나요?"

"석정은 완벽하게 독인화(毒人化)에 성공한 것 같습니다. 그 혼자 무적가 정예 고수 수십 명을 상대로 싸워 이겼으니까요. 현재는 화평장에 머무르고 있습니다."

"독인에서 더 발전할 가능성은요?"

"그건 모르겠습니다. 사실 석정이 우리가 만들어 낸 독인들 중 최고의 경지에 오른 인물이니까요. 그 단계에서 진화할지, 아니면 광인이 될지는 아직 알 수가 없습니다. 또 그런 까닭에 사천당문의 당혜혜가 있는 화평장으로 보낸 것이기도 하니까요."

"그렇다면 무적가의 침공이 없었더라 할지라도 석정을 내보낼 생각이었군요."

"그렇습니다. 그때가 단지 며칠 빨라졌을 뿐입니다. 이미 독인화가 된 이상 우리로서는 더 이상 아무것도 할 수가 없었으니까요."

"그렇군요. 어쨌든 석정의 차후 경과를 주의 깊게 지켜보도록 하세요."

"안 그래도 예의 주시 중입니다. 현재 석정은 빙혼마고가 보살펴 주고 있다고 합니다."

사내는 화평장의 은밀한 내부 소식에 대해서 속속들이 파악하고 있는 듯 조금의 망설임도 없이 술술 이야기했다.

십삼매는 가만히 그의 이야기를 듣다가 문득 두 손을 길게 뻗으며 기지개를 켰다.

사내는 그녀의 눈치를 살피며 말을 바꿨다.

"피곤하시면 이 정도에서 마무리할까요? 더 이상 중하거나 긴급한 사안도 없습니다."

"그러죠. 이틀 내내 지하 석굴에 숨어 있다 보니 육체적으로나 정신적으로 제법 피곤한 모양이에요."

"알겠습니다. 그럼 이만."

사내는 한 차례 절을 한 후 자리를 떠났다. 기다렸다는 듯이 복도 저편 방문이 열리고 소홍이 고개를 내밀었다.

십삼매는 뒤도 돌아보지 않은 채 물었다.

"피곤하지 않아? 너도 함께 석굴에 있었는데."

소홍이 히쭉 웃으며 말했다.

"피곤하기는요. 과연 어떻게 될까 계속 두근거리는 마음으로 있었더니 전혀 지치지 않아요."

소홍은 쪼르르 달려 나와 십삼매의 옆자리에 걸터앉았다. 십삼매는 가늘고 긴 다리를 살짝 오므려 그녀가 편하게 앉을 공간을 내주었다.

"무적가는 어찌 될 것 같아요?"

소홍이 물었다.

"글쎄."

십삼매는 길게 하품을 하며 말을 얼버무렸다. 하지만 그 나이 또래답게 소홍의 호기심은 끝이 없었다.

"아까 얼핏 들었을 때, 담 아저씨와 장 오라버니가 무적가 뒤를 쫓고 있다고 한 것 같던데……. 그 두 분이 무적가를 몰살시킬 수 있을 것 같아요, 언니 생각에는요?"

"글쎄."

십삼매는 다시 하품을 하고는 정면으로 소홍을 바라보며 나무라듯 말했다.

"훔쳐 듣지 말라고 했지?"

"훔쳐 듣지 않았어요."

소홍은 입술을 삐죽이며 말했다.

"그냥 대화가 들리는데 어떡하라고요? 그렇다고 귀를 꽁꽁 막고 있어야 하는 건 아니겠죠?"

"설마 네게까지 들릴 정도로 우리의 목소리가 그렇게 컸을까?"

"요즘 제 눈과 귀가 꽤 밝아졌거든요."

소홍이 의기양양하여 말했다.

"언니가 가르쳐 준 심법 덕분이에요. 요즘에는 길을 걸을 때에도 주변에서 나를 두고 침을 삼키는 아저씨들의 소곤거리는 대화가 다 들려요. 어디 그뿐인 줄 아세요? 복도 너머, 담벼락 바깥에서 나누는 은밀한 대화도 다 들린다니까요. 심지어는 유화 언니가 사내 시중을 드는 소리까지……."

소홍은 살짝 얼굴을 붉히며 말을 흐렸다.

유화는 이 골목가에 자리 잡고 있는 노류장화(路柳墻花) 중 한 명으로, 소화를 친동생처럼 귀여워하고 아껴 주는 여인이었다.

사실 소홍은 북경부에 다녀온 이후로 십삼매를 졸라 심법과 간단한 무공을 익히기 시작했다. 굳이 쌍둥이 오빠를 언급하지 않더라도 그녀의 자질은 매우 뛰어났다. 심법을 익힌 지 불과 이삼 년 만에 그녀는 상당한 수준의 내공을 쌓을 수가 있었다.

"내가 아무래도 잘못 생각한 것 같구나."

십삼매는 쓴웃음을 흘리며 말했다.

"괜히 네게 심법을 가르쳐 준 모양이다. 이렇게 밤낮 할 것 없이 사람들의 말을 엿듣고 다니는 걸 보니 말이다."

"엿듣는 게 아니라니까요."

"그럼 앞으로는 일부러 듣지 않는 훈련도 해야 할 것이다. 네가 들어야 할 말들만 선택해서 들을 줄 아는 집중력도 익혀야 할 것이고, 또 설령 들었다 할지라도 듣지 않은 척할 줄 아는 여유도 가져야 할 거야."

"알겠어요. 앞으로 조심할 테니까, 언니는 어떻게 생각하세요?"

"뭘?"

"아이, 무적가 말이에요. 정말 이참에 몰살당할까요?"

"설마."

십삼매는 침상처럼 긴 의자에서 몸을 일으켜 앉으며 말했다.

"그 정도로 나약한 무적가가 아니란다. 겨우 이번 일로 몰살당할 정도의 무적가였다면 굳이 우리가 무림오적 같은 걸 만들지도 않았을 거야. 공적십이마 몇 분과 구천십지백사백마들을 규합해서 단숨에 무너뜨렸겠지."

"하지만 이번에 이백 명 넘게 목숨을 잃었잖아요? 그리고 계속해서 담 아저씨들에게 쫓기고 있고."

"운이 좋았을 뿐이란다."

십삼매는 침착하게 설명했다.

"우선 제갈보광은 성도부에 있는 사람들을 너무 얕잡아 봤지. 하기야 단번에 흑룡방 등 세 곳의 문파를 몰살시켰으니 그럴 법도 했지. 또 이곳에 허 노야나 무림오적 같은 초절정의 고수들이 있을 거라고는 전혀 생각하지도 않았고. 그래서 인원을 분산시켰고, 결국 허 노야 등에 의해 차례로 각개격파를 당하게 된 거야."

"그러니까……."

"하지만 잘 생각해 보렴. 무적가 사람들과 정면으로 부딪쳤던 허 노야와 백팔호교위들이 압도적인 승리를 거뒀니?"

"그건……."

"그래. 그건 아니지? 외려 허 노야가 먼저 꼬리를 말고 도망쳤잖아?"

소홍은 살짝 콧잔등을 찌푸리며 반론하듯 말했다.

"허 노야가 약한 게 아닐까요?"

"허 노야가?"

십삼매는 가볍게 웃었다.

"세상에서 허 노야를 두고 약하다고 말할 수 있는 사람은 공적십이마 어르신들 정도야."

"으음."

"어쨌든 정면으로 부딪친다면 허 노야마저도 난감해할 정도로 무적가는 강하단다. 그걸 잘 알고 있는 담 형부나 다른 사람들은 저들의 허점을 노린 기습을 통해서 이득을 취할 수 있었던 거고."

소홍은 잠시 생각하다가 입을 열었다.

"석정 오라버니는요? 석정 오라버니도 기습을 펼쳐서 이득을 본 건가요?"

"석정은……."

십삼매의 눈빛이 살짝 흐려졌다.

언제나 쾌활하고 순박하게 웃을 줄 알던 청년이었지만 이제는 이지를 상실해 가는 독인에 불과했다.

"석정은 독인이 되었단다. 독인은, 제대로 된 준비를 하지 않고 싸우면 절대 이길 수 없는 상대거든. 그래서 정면으로 싸워도 무적가가 어떻게 할 수가 없었던 거야."

"그렇구나. 아, 저기 궁금한 게 있는데요."

소홍은 십삼매의 눈치를 살피며 입을 열었다.

"독인화가 된 상태에서 진화를 한다는 게 무슨 뜻인가요?"

조금 전 십삼매와 사내가 나눴던 이야기를 듣고 생긴 의문인 듯했다.

십삼매는 차분한 어조로 설명했다.

"독인이 되면 이지를 상실하고 광인으로 변해 마구잡이

로 살상을 저지르다가, 결국 살해당하거나 혹은 전신에 퍼진 독을 이겨 내지 못하고 자멸하게 되거든. 하지만 거기에서 이지를 되찾고 스스로 독을 제어하는 쪽으로 진화를 하게 되면 이른 바 독왕(毒王), 독마(毒魔), 독성(毒聖)이라 불리는 경지에 진입하게 된단다. 그렇게만 된다면……."

문득 십삼매의 눈빛이 가늘게 흔들렸다.

"어쩌면 무림오적도 감당할 수 없을 정도의 초절정 고수가 탄생하게 되는 거야."

"와아! 그럼 마냥 석정 오라버니를 걱정할 것만은 아니네요. 오라버니가 이지를 되찾고 독을 제어할 수 있도록 응원하고 도와줘야죠."

"그게…… 우리의 힘으로는 역부족이기 때문에 강 오라버니에게 보낸 거란다."

십삼매는 침착하게 말했다.

"그곳 화평장에는 사천당문의 여인이 있으니까 말이지."

"그렇군요!"

소홍의 눈이 반짝였다.

"화평장에 놀러가도 될까요?"

"그러려무나."

십삼매는 피곤한 듯 다시 긴 의자에 드러누우며 눈을 감았다.

"그럼 다녀올게요!"

소홍은 치마를 나풀거리며 밖으로 달려 나갔다.

십삼매는 손을 들어 눈가를 가리며 중얼거렸다.

"부럽네, 소홍."

2. 소홍

소홍은 곧장 골목길을 빠져나와 화평장으로 향했다.

성도부 거리 곳곳에는 아직도 엊그제의 참상이 고스란히 남아 있었다. 불에 탄 흔적, 무너진 건물들, 그리고 채지워지지 않은 핏자국들.

하지만 또 언제 그런 일이 있었냐는 듯이 거리에는 활기가 넘쳐흘렀다.

이번에 목숨을 잃은 수백 명의 사람들 대부분이 성도부의 밤거리와 뒷골목을 지배하던 흑도방파 무리들이었다.

즉, 장사꾼이나 가게 주인들을 괴롭히고 돈을 뜯는 무리들이 사라진 것이니, 외려 시장 사람들과 상인들은 이번 참상을 천벌이라고 생각하며 기뻐하기도 했다.

물론 그렇다고 해서 뒷골목의 불량배나 불한당들이 모두 사라진 것은 아니었다. 그렇지만 그들 역시 이번 참상에 놀라고 겁을 먹은 듯 온순하게 행동하며 소란을 피우지 않았다.

　소홍은 그렇게 이중적인 모습이 공존하는 거리를 따라 화평장에 당도했다. 정문을 지키고 있던 무사 두 사람이 그녀를 보고 알은척을 하며 반가워했다.

　"이 아침부터 소홍 아가씨가 웬일이신가?"

　소홍은 아름답고 육감적이면서도 청순하며 풋풋했다. 그녀의 쾌활한 웃음소리를 싫어하는 사내는 없었다.

　그녀의 눈을 흘리는 뾰로통한 표정에 가슴을 두근거리지 않는 사내가 없었다. 그녀가 짐짓 늘어지게 기지개를 켜며 부푼 가슴을 내미는 모양을 훔쳐보지 않는 사내가 없었다.

　그건 화평장의 무사들 역시 매한가지였다. 그들은 소홍이 놀러 올 때마다 늘 웃으며 반겼다.

　물론 화평장에는 소홍보다 더 육감적이거나 혹은 더 아름답거나 혹은 더 매혹적인 여인들이 있었다.

　하지만 그녀들 모두 임자가 있는 몸이었고, 반면 소홍은 아직 정해진 사람이 없었다. 그런 연유로 무사들은 그녀에게 조금이라도 더 잘 보이기 위해 애를 쓰기도 했다.

　"놀러 왔어요. 들어가도 되죠?"

　소홍은 살짝 혀를 내밀며 물었다. 두 무사는 허둥지둥 고개를 끄덕이며 문을 열어 주었다.

　"수고들 하세요."

소홍은 까닥 고개를 숙여 인사한 후 나비처럼 안으로 날아들었다. 그녀가 스치고 지나간 자리에는 절로 코를 벌름거리게 만드는 향기만이 남았다.

"이제 다 컸네."

무사 한 명이 코를 킁킁거리며 중얼거렸다.

"내 마누라에게 눈독 들이지 말게."

다른 무사가 문을 닫으며 말하자, 코를 킁킁거렸던 무사가 눈을 부릅뜨며 대꾸했다.

"함부로 넘보지 말 사람은 자네라고. 이미 내가 침 발라 두었으니까 말이지."

"무슨 개소리야, 그건?"

두 무사가 한동안 그렇게 티격태격할 때, 정작 소홍은 콧노래를 부르며 마당을 지나 내당으로 향했다.

마침 내당 안쪽의 마당에서는 소년 한 명이 열심히 권각술을 수련하고 있었다. 소년을 본 소홍이 활짝 웃으며 쪼르르 달려갔다.

"아호!"

정월의 차가운 공기 속에서 땀까지 흘려 가며 권각술을 연습하던 담호가 그녀를 돌아보고는 얼른 손을 모아 인사했다.

"오랜만이에요, 소홍 누나."

"아이구, 귀여운 것!"

소홍은 담호를 꼭 부둥켜안았다. 그녀의 탱탱한 젖무덤이 얼굴을 누르자 담호는 황급히 두 손으로 그녀를 떼어냈다. 담호의 얼굴이 붉게 달아올랐다.

소홍은 눈을 흘기며 말했다.

"오호라, 이제 너도 사내라 이거야?"

담호는 부끄러운 듯, 쑥스러운 듯 아무런 말도 하지 못하고 고개를 돌렸다.

그때였다.

"누나!"

내당 쪽에서 두툼한 털옷을 입은 담창이 두 팔을 벌리고 달려왔다. 소홍도 제자리에 쪼그려 앉은 채 활짝 웃으며 두 팔을 벌렸다.

"아창!"

담창은 강아지처럼 풀쩍 뛰어 그녀의 품속으로 안겼다. 소홍은 귀여워 어쩔 줄 모르겠다는 듯이 담창을 꼭 껴안고 뺨을 비볐다.

"숨 막혀!"

담창은 바동거리면서 고개를 빼 들었다. 소홍은 그의 이마와 볼, 입술에 연거푸 입을 맞췄다. 담창이 킥킥거리며 팔다리를 마구 흔들었다.

"간지러워, 간지러워!"

"간지러워? 간지러워?"

소홍은 웃으며 담창의 머리카락을 쓰다듬다가 문득 담호를 돌아보고는 의미심장한 미소를 지었다.

아직 사내가 되지 않은 어린아이는 이런 식으로 반응하는 거란다, 라는 표정이 그녀의 얼굴에 떠올랐다.

담호도 그 의미를 눈치챈 모양이었다. 그는 더욱 쑥스러운 표정을 지으며 투덜거리듯 말했다.

"나도 이제 열두 살이라고요."

"그래? 벌써 열두 살이야? 진짜 이제 어른이 다 됐네?"

"그럼요. 이제는 한 사람의 몫을 해낼 준비가 다 되었어요."

담호는 여전히 조금은 부끄러워하면서도 그래도 제법 당당한 모습으로 그렇게 말했다.

'그러네. 나도 열두 살 무렵에 저렇게 생각했었지, 아마?'

소홍은 문득 자신의 어린 시절을 떠올렸다.

이미 다 컸다고, 충분히 한 사람 몫을 할 수 있게 되었다고 생각했던 시절. 하지만 지나고 나면 여전히 어리고 치기만 넘쳐흐르던 그 시절.

'풋, 벌써 옛날 생각을 하다니. 나도 이제 늙은 건가?'

소홍은 피식 웃었다. 그러고는 담창을 부둥켜안은 채 자리에서 일어나며 물었다.

"어른들은?"

"청풍각에 모여 계세요."

청풍각은 화군악 일가와 야래향, 빙혼마고가 머물고 있는 전각이었다.

이 화평장의 장주는 강만리였으나, 그의 가족이 거처하는 화풍각보다는 주로 야래향, 빙혼마고가 있는 청풍각에서 모여 식사를 하고 대화를 나누는 게 이 장원 식구들의 일반적인 습관이었다.

"다들 거기 계셔?"

"아뇨. 담 백부와 장 숙부, 그리고 화 숙부와 설 숙부모두 안 계세요."

"그래?"

소홍의 눈이 휘둥그레졌다.

담우천과 장예추가 무적가 무리들을 뒤쫓고 있다는 건익히 들어 알고 있었지만, 화군악과 설벽린까지 화평장을 비웠다는 소식은 처음 들은 것이다.

"화 숙부와 설 숙부는 어디 가셨는데?"

"잘 모르겠어요."

"그렇구나. 그래, 그럼 계속해서 수련하고. 아창, 너도여기 있을 거야? 아니면 이모 따라서 청풍각에 갈래?"

"여기 있을 거야. 방금 청풍각에서 나왔거든."

담창은 씩씩하게 말했다.

"형아랑 같이 수련할 거야."

"그래? 너도 슬슬 사내가 되려는 거야?"

"응? 난 원래 사낸데? 고추가 있잖아?"

"아하, 그렇지? 미안, 깜빡 잊고 있었네."

소홍은 담창을 내려놓은 후 두 소년을 향해 손을 흔들며 말했다.

"그럼 이따가 보자."

"네, 들어가세요."

"응, 이따 봐."

소홍은 소년들을 뒤로하고 청풍각으로 향했다. 내당을 돌아다니던 시녀들과 무사들이 그녀를 보고 알은척을 했다. 소홍은 일일이 사람들과 인사를 나누면서 청풍각에 당도했다. 입구에 서 있던 무사들이 그녀를 멈춰 세웠다.

"잠깐만. 소홍 아가씨가 왔다고 이야기를 하고 오마."

"네."

소홍은 유쾌한 미소를 지으며 대답했다.

청풍각 안으로 들어간 무사는 곧바로 밖으로 나와 소홍을 향해 고개를 끄덕이며 말했다.

"들어오라는구나."

"고마워요."

소홍은 무사들 사이를 지나 청풍각 안으로 들어섰다. 장원의 대문을 지키던 무사들처럼 이곳 무사들 역시 그녀의 향긋한 체취에 절로 코를 벌름거렸다.

"저 왔어요!"

소홍은 대청으로 들어서며 큰 소리로 외쳤다.

대청 탁자에는 열 명이 채 되지 않는 사람들이 앉아서 다과를 즐기고 있었다.

강만리가 살짝 눈살을 찌푸리며 말했다.

"그렇게 크게 말하지 않아도 다 듣거든."

"헤헤. 미안해요, 아저씨. 워낙 목소리가 커서요."

소홍은 거침없이 대청을 가로질러 빈 의자를 챙겨 자리에 앉았다.

탁자에는 강만리를 비롯해 야래향, 예예, 당혜혜, 정소흔, 그리고 소묘아와 고로투가 앉아 있었다. 담호의 말대로 담우천과 장예추, 화군악과 설벽린의 모습은 어디에도 보이지 않았다.

소홍이 자신의 옆자리에 앉자 예예가 반갑다는 듯이 말했다.

"잘 왔어. 식사는?"

"먹고 왔어요, 언니."

소홍이 다정하게 대답하자 다시 강만리가 눈살을 찌푸리며 투덜거리듯 말했다.

"내 아내에게는 언니라고 부르면서 나는 왜 아저씨더냐?"

소홍이 눈을 가늘게 뜨며 물었다.

"그럼 오라버니라고 불러 드릴까요?"

강만리가 한숨을 쉬며 고개를 저었다.

"아니다. 됐다."

"그럼 아빠?"

"됐다니까!"

강만리가 버럭 소리를 질렀다.

하지만 소홍은 전혀 겁내지 않고 싱글벙글 웃으며 강만리를 쳐다보았다. 탁자 곳곳에서 사람들이 킥킥거리거나 애써 웃음을 참는 모습이 보였다.

강만리는 내심 한숨을 내쉬며 고개를 설레설레 흔들었다.

'젠장, 갈수록 십삼매를 닮아 간다니까.'

3. 대책

"그래, 십삼매는 안전하고?"

상좌(上座)에 앉아 있던 야래향이 웃으며 부드럽게 묻자, 소홍은 고개를 끄덕이며 조신하게 대답했다.

"네, 다행히 별일 없이 본가로 돌아오셨어요. 다 큰할머님께서 걱정해 주신 덕분이에요."

강만리가 눈을 흘겼다. 이럴 때 보면 고관대작의 귀한

여식과도 같아 보였다.

야래향이 다시 물었다.

"황계 쪽 피해는?"

"장원 하나가 불타고 그곳에서 이십여 명 정도의 사상자가 났어요. 안타깝기는 하지만 그래도 다른 곳에 비해서는 선방한 편이라고 할 수 있죠."

소홍은 공손하게 대답했다.

야래향이 고개를 끄덕일 때였다. 마침 시녀가 찻잔과 과일, 과자를 가지고 오는 바람에 잠시 대화가 멈췄다.

시녀는 소홍의 찻잔에 차를 따랐다. 향긋한 냄새가 모락모락 피어오르는 김과 함께 허공으로 흩어졌다. 소홍은 한 모금 차를 마신 후 빙긋 웃으며 말했다.

"용정차네요. 정말 맛있어요."

"다행이로구나."

야래향도 웃으며 말했다.

"그래, 따로 십삼매가 전하는 말은 없더냐?"

"큰 할머님 이하 화평장분들의 안부를 물으셨어요."

"덕분에 우리는 별다른 일 없이 잘 지내고 있다고 전해주렴."

"그렇게 전할게요."

"그래. 그럼 재미있게 놀다 가렴."

야래향은 자리에서 일어났다. 강만리가 그녀를 쳐다보

며 물었다.

"마고께 가시는 겁니까?"

"아무래도 혼자 있으면 심심할 터이니까."

당혜혜도 함께 일어나며 말했다.

"저도 갈게요. 마침 새로 약을 달일 때도 되었으니까요."

"조심하렴."

야래향이 기다렸다가 당혜혜를 부축하여 대청을 나섰다. 당혜혜의 배가 알게 모르게 살짝 부풀어 있었다.

한꺼번에 두 사람이 자리를 비우자 갑자기 대청 분위기가 가라앉았다. 소홍이 입술을 내밀며 우울한 표정을 지었다.

"괜히 내가 찾아온 게 아닌지 모르겠어요."

"어머, 왜 그렇게 생각해? 아냐. 마침 다들 자기 할 일을 하려던 참이었거든."

예예가 달래듯 말했다. 소홍이 그녀와 팔짱을 끼며 헤헤 웃었다.

"정말 언니밖에 없다니까."

강만리는 차를 홀짝거리면서 가만히 두 여인을 지켜보며 속으로 중얼거렸다.

'언제 저리 친해졌을까?'

한때 소홍은 벌거벗은 몸으로 강만리의 침상에 숨어들어 그를 기다린 적이 있었다. 그럴 만큼 소홍은 강만리를 좋아했고, 또 그렇기 때문에 예예를 자신의 연적(戀敵)처럼 생각하기도 했다.

반면 예예는 십삼매를 싫어했기 때문에 십삼매와 관계가 있는 소홍을 그리 탐탁지 않게 생각했다.

그런 두 사람이 지금은 마치 친자매처럼 구는 모습이 강만리에게는 너무나도 의아했다.

"그런데 혜혜 언니 임신한 거예요?"

소홍이 예예에게 물었다. 예예가 눈을 동그랗게 뜨며 되물었다.

"몰랐어?"

"네. 몰랐어요."

"그렇구나. 이제 사 개월 정도 되었을 거야."

"와아, 그랬구나. 나중에 따로 축하 선물을 준비해야겠네."

"그럼 혜혜 언니가 기뻐할 거야."

"그러면 좋겠네요. 참, 정이는요?"

"소군과 함께 자고 있어."

"한번 봐도 돼요?"

"물론이지."

두 사람은 자매처럼 손을 잡고 자리에서 일어나 대청을 빠져나갔다.

"휴우."

강만리가 길게 한숨을 내쉬었다.

"왜?"

소묘아가 고개를 갸웃거리며 물었다.

"왜 한숨을 쉬는데?"

"아, 그게……."

강만리는 마땅히 대꾸할 말이 없어서 대충 대답했다.

"그냥 평소 내 습관이라오. 굳이 신경 쓰지 않아도 되오."

"그래?"

소묘아는 여전히 의아한 듯 고개를 갸웃거렸다. 고로투
가 웃으며 그녀에게 말을 건넸다.

"자, 그럼 우리도 나가지. 안 그래도 할 일이 많으니
까."

"응? 하지만 아직 과일이……."

"됐어. 나중에 또 먹지 뭐."

고로투는 소묘아의 팔을 붙잡고 끌어내듯 자리를 빠져
나갔다.

그렇게 되자 이제 대청에 남은 이는 강만리와 정소흔뿐
이었다. 어색한 공기가 그들 주위를 맴돌았다.

강만리가 헛기침을 하며 입을 열었다.

"아란 소저는 보이지 않는군요."

정소흔이 차분하게 대답했다.

"심복들과 함께 새벽처럼 장원을 나섰어요. 일전에 강

장주께서 말씀하셨던 정보 조직 때문이 아닐까 싶어요."

"허, 벌써 말입니까? 정말 행동력 하나는 어지간한 남정네 못지않군요."

"그렇죠? 저도 그런 건 보고 배우고 싶어요."

대화는 게서 또 끝났다.

강만리는 저도 모르게 엉덩이를 긁으려다가 얼른 손을 뗐다. 그러고는 이 어색하고 난감한 분위기에서 얼른 벗어나야겠다고 생각하며 막 자리에서 일어나려는 순간이었다. 이번에는 정소흔이 먼저 입을 열었다.

"담 장주와 장 장주께서는 무사하실까요?"

"물론입니다."

강만리는 당연하다는 듯이 고개를 끄덕였다.

"당금 무림이 아무리 넓다 한들 그 두 사람을 어찌해 볼 수 있는 사람은 없으니까요."

그렇게 말하는 강만리의 목소리에는 담우천과 장예추에 대한 절대적인 신뢰가 묻어 나오고 있었다.

* * *

그랬다.

담우천과 장예추를 어찌해 볼 수 있는 사람은, 최소한 이 행렬들 중에서는 단 한 명도 없었다.

제갈보운이 그토록 경계하고 조심했지만 성도부를 떠난 지 사흘째 되던 날 새벽, 그는 또다시 여섯 명의 수하를 잃어야 했다.

결국 제갈보운은 단 한 명도 남기지 않고 모든 전력을 동원하여 밤새 보초에 나섰다.

그러나 나흘째 되는 날 새벽, 다시 여섯 구의 시신을 발견했으며 닷새 새벽에는 아홉 구의 싸늘한 시신을 보게 되었다.

닷새 동안 무려 오십사 명이나 되는 무적가 정예들이 단 한 번의 비명은커녕 그 어떤 흔적도 남기지 못한 채 목숨을 잃고만 것이었다.

무적가 사람들은 불안하고 초조한 빛을 감추지 못했다. 언제 어디에서 자신들의 등을 노린 살수가 펼쳐질지 몰라서 잠을 잘 수가 없었다.

그렇게 이틀, 사흘 동안 제대로 잠 한숨 자지 못한 채 말을 몰고 수레를 끌어야 했으니, 이동 속도는 현저하게 느려질 수밖에 없었다. 심지어 졸다가 말에서 떨어지는 이들도 속출했다.

제갈보운은 이대로는 안 되겠다 싶어서 중진들을 모아 대책 회의를 열었다. 중진들 또한 시뻘겋게 충혈된 눈과 핼쑥해진 낯으로 모여들었다.

오랜 난상토론을 펼쳤지만 뾰족한 대책이 나올 리가 만

무했다. 몇 번이고 수백여 장 주변을 샅샅이 뒤졌지만, 자신들을 기습하고 있는 자들에 대해서 그 어떤 실마리도 찾아낼 수가 없었으니까.

물론 그들이 몇 명인지는 대략 파악한 상황이었다. 죽은 자들의 시신을 확인하고 사인을 분석한 결과 상흔은 두 종류로 분류되었다.

즉, 최소한 두 명의 암살자들이 그들의 뒤를 뒤쫓는 중이었다. 그리고 그들은 야밤을 틈타 아무도 모르게 접근하여 그 어떤 기척도 남기지 않은 채 무적가 무사들의 목숨을 빼앗은 다음 다시 신기루처럼 자취를 감추고 있었다.

오랫동안 중진들이 온갖 계책을 내세우며 토론을 하면서도 결국 마땅한 대책이 나오지 않는 걸 지켜보면서 제갈보운은 점점 더 가슴이 무거워졌다.

사실 지금 그의 가슴을 무겁게 만드는 건 그뿐만이 아니었다.

밤새도록 빽빽하게 보초를 세우고 철통 같은 경계를 펼치고 있음에도 불구하고 그들에게 목숨을 잃은 무사들의 수가 다시 늘어났다는 건 확실히 큰 문제가 될 수 있었다.

그것은 닷새 동안 계속해서 보초를 서고 잠을 제대로 자지 못한 채 신경을 곤두세우느라 무적가 무사들의 집중력과 체력이 현저하게 떨어졌다는 뜻이었다.

또 그것은 다시 말해서 암살자들에 의해 목숨을 잃게 될 숫자가 앞으로 점점 더 늘어날 가능성이 높다는 뜻이기도 했다.

어쩌면 본산의 사람들과 만나기 전에 절반, 혹은 그 이상의 병력을 잃을지 모른다는 생각이 언뜻 제갈보운의 뇌리를 스쳤다.

'이 느려진 속도라면 예정보다 훨씬 늦게 본산의 원군과 조우하게 될 것이다.'

원래 열흘이면 될 거라고 예상했으니까 예정대로라면 닷새만 버티면 그들과 조우할 수 있었다.

하지만 지금 상황을 보건대 행렬의 속도는 점점 더 느려질 터, 본산의 원군을 만나기까지 최소한 열흘은 더 걸릴 것 같았다.

결국 제갈보운은 마음을 굳혔다.

"행렬을 멈추기로 합시다."

그는 중진들을 둘러보며 말했다. 침을 튀겨 가며 떠들던 이들이 일제히 입을 다물고 그를 돌아보았다.

제갈보운은 천천히 말을 이었다.

"살수들은 우리가 초조해하고 지치기만을 기다리고 있습니다. 그런 상황에서 낮의 행군과 밤의 보초는 모든 무사들의 집중력을 저해하고 체력과 심기를 떨어뜨리는 일이 되고 있습니다."

"그렇다면 아예 어느 한 곳에 진을 치고 저들의 기습을 기다리자는 뜻입니까?"

중진들 중 한 명이 물었다.

"맞습니다."

제갈보운은 고개를 끄덕이며 대답했다.

"지금 이 속도로 행군해 봤자 본산의 원군과 조우하기까지는 열흘 정도 걸릴 겁니다. 만약 낮에 체력을 보전하고 밤의 경비에 만전을 기울이면서 기다린다고 해도, 원군의 이동 속도를 생각하면 열흘에서 이삼 일 정도 더 소요가 될 뿐입니다. 그러니 계속해서 살수들의 기습을 받아 가며 가느니, 차라리 제대로 수비를 할 수 있는 곳을 찾아 그곳에서 진을 치는 게 훨씬 낫지 않을까 싶습니다."

중진들은 입을 다문 채 제갈보운의 제안을 곰곰이 생각했다. 이삼 일의 차이가 있기는 하지만, 그래도 진을 치고 기다리는 게 지금보다는 훨씬 더 나을 것 같았다.

"그렇게 합시다."

"그럼 어디에 진을 치면 좋겠소?"

"따로 식량과 식수를 준비해야 하지 않겠습니까?"

중진들이 앞다퉈 묻고, 또 서로 나름대로의 의견을 제시하기 시작했다.

"수비하기 좋은 곳이라면 역시 배산임수(背山臨水)의 지형이 최고라 할 수 있겠습니다."

"배산임수까지는 아니더라도 수풀이 덜 우거져 있고, 사방이 탁 트인 곳이라면 괜찮지 않을까 싶군요."

"식량과 식수는 조금 전 지나친 마을에서 조달하는 게 어떨까 싶습니다. 넉넉하게 이백오십 명이 보름 정도 먹고 마실 수 있는 분량이면 족하지 않을까 싶습니다."

"한 마을에서 그만한 분량을 조달하기는 벅찰 것 같구려. 조금 더 행군하면서 진을 치기 좋은 장소를 물색하는 동시에 다른 마을도 찾아보는 게 나은 방법일 듯하오."

제갈보운은 중진들의 활기찬 토론을 지켜보다가 문득 시선을 돌렸다.

관도 저편으로 우거진 숲이 줄지어 늘어서 있었다. 지금도 암살자들이 저 숲 어딘가에 숨어서 자신들을 지켜보고 있을 거라는 생각이 들었다.

등골에 소름이 일었다.

제갈보운은 입술을 깨물었다.

'이렇게까지 몰린 적이 있었던가.'

기억에 없었다.

'이렇게까지 적을 두려워하고 초조해하고 불안에 떤 적이 있었던가.'

차라리 저 유령교의 봉공과 싸울 때가 훨씬 더 나았다.

그와의 싸움 속에서 죽음이 바로 눈앞까지 다가왔다가 사라지기를 반복했지만 그래도 제갈보운은 그 사실을 잊을 정도로 처절하고 치열하게 싸웠다.

이렇게 눈에 보이지도, 손에 잡히지도 않는 적을 마주하는 건 유령교 봉공과 싸우는 것보다 몇 배는 더 힘들고 어려우며 두려운 일이었다.

게다가 그가 책임져야 할 수백 명 무사들의 목숨까지 생각한다면…….

확실히 지금 저 암살자들은 제갈보운이 가장 무서워하고 두려워할 수밖에 없는 방법으로 그와 무적가 사람들을 압박하고 있었다.

3장.
무림오적의 아내들

"여보."
예예의 낮고 단호한 목소리에 강만리는 움찔거렸다.
그는 머쓱한 표정으로 엉덩이를 긁적거리다가
결국 그녀의 시선을 피하며 고개를 끄덕였다.

1. 총동원

제갈보운 측에서 띄워 보낸 다섯 마리의 전서구들은 단한 마리의 낙오도 없이 수천 리 먼 길을 날아서 무적가 본산에 당도했다.

"고생들 했다."

노인은 솜씨 좋게 비둘기 다리에 매달려 있던 전서통에서 조그만 쪽지들을 꺼냈다.

그리고 쪽지를 일일이 편 다음, 깨알처럼 적혀 있는 글을 천천히 정독했다. 낯이 굳어지고 안색이 새파랗게 질릴 내용의 글이었지만 노인은 침착하게 자리에서 일어나 방을 나섰다.

노인은 느긋한 걸음걸이로 복도를 따라 밖으로 나갔다. 오가는 무적가 사람들이 그를 보고 알은척했다.

그가 전서구를 다루고 전서를 책임지고 있다는 건 이곳 무적가 사람들 모두가 잘 알고 있었다. 그러니 행여 그가 초조해하거나 다급한 행동을 취하면, 사람들로 하여금 뭔가 불길한 전서가 날아온 게 아닐까 하는 불안감을 갖게 만들 수가 있었다.

그래서 노인은 늘 침착하게 행동했다. 아무리 위중한 전서라 할지라도, 촌각을 다투는 긴급한 내용이라 할지라도 항상 침착하고 태연하게 행동했다.

그래서 노인에게 항상 전서를 건네받는 총관도 가끔씩 속아 넘어갔다. 이번에도 그랬다.

본청까지 느긋하게 걸어간 노인은 총관을 불러낸 다음 가지고 왔던 쪽지를 건넸다.

"별다른 내용이 없나 보오."

심드렁한 표정으로 중얼거리면서 쪽지를 읽어 내려가던 총관의 안색이 급변했다.

"이런!"

그는 노인에게 인사를 할 겨를도 없다는 듯이 허둥거리며 황급히 본청으로 들어갔다.

본청의 대청에는 마침 한 명의 노인만이 자리하고 있었다. 가주 제갈보국이 죽은 이후 이 위기의 무적가를 끌고 나가기 위해 먼 걸음을 한 삼숙, 제갈천상이 바로 그였다.

태사의에 홀로 앉아서 조는 듯 지그시 눈을 감고 있던 제갈천상은 총관이 허둥지둥 달려오는 기척에 눈을 뜨며 혀를 찼다.

"채신머리없게시리……."

하지만 총관의 입장에서는 지금 채신머리를 따질 상황이 아니었다. 그는 구르듯 대청을 가로지르며 달려와 제갈천상에게 다가섰다.

제갈천상은 가늘게 눈을 뜨며 물었다.

"무슨 일이기에 그리 소란을……."

"이걸 보십시오."

놀랍게도 총관은 다짜고짜 제갈천상의 말을 자르며 쪽지들을 내밀었다. 제갈천상은 무슨 일인가 싶어 쪽지들을 건네받고 읽어 내려갔다. 일순 그의 얼굴이 딱딱하게 굳었다.

"이런……."

그의 새하얀 수염이 푸들푸들 떨렸다.

다섯 마리의 전서구가 가지고 온 쪽지에는 그간 성도부에서 있었던 상황에 대해 소상하게 적혀 있었다.

또한 지금 다급하게 성도부를 벗어나 무적가 본산으로 돌아오는 중이라는 것도, 차후 지시를 기다리고 있다는 이야기도 쓰여 있었다.

"아니, 도대체 성도부가 무슨 복마전이라도 된다는 말인가? 본가의 정예 오백이 출동하였는데 그중 이백이 죽고 겨우 삼백이 살아남아 퇴각 중이라니."

제갈천상은 도저히 이해가 가지 않는다는 얼굴이었다.

"게다가 보광, 보령, 보민들이 모두 죽었다니, 이걸 어찌 믿으라는 말인가?"

제갈보광을 비롯한 그들은 다름 아닌 무적가의 장로들이었다. 물론 개개인의 능력 차이가 조금씩 있기는 하지만 그럼에도 불구하고 그들 모두 일당백의 무위를 지닌 절정의 고수들이었다.

그런데 그들 모두 목숨을 잃었다는 것이다. 어찌 그 말을 쉽게 믿을 수가 있겠는가.

한동안 쪽지에 시선을 고정한 채 꿈쩍도 하지 않던 제갈천상이 문득 한숨을 내쉬며 입을 열었다.

"아무래도 스스로를 너무 과신한 나머지 각개격파를 당한 게로군."

제갈천상은 눈을 감으며 중얼거렸다.

"하기야 나라 할지라도 과신했겠지. 소림사나 무당파도 아니고 기껏 성도부의 하오문을 처리하는 데 무슨 문제가 있을까, 하고 자신만만해하는 게 당연한 일이겠지."

게서 그는 더 이상 말을 하지 않았다.

침묵이 길어졌다. 총관은 어쩔 줄 몰라 하며 제갈천상

의 얼굴만 훔쳐보고 있었다. 어쨌든 상황은 발생된 것이니 이제 차후 대책에 대해서 생각해야 하는데, 뭐라 건의하거나 제안할 말이 쉽게 떠오르지 않았다.

그때 제갈천상이 다시 눈을 떴다. 그는 냉엄한 눈길로 총관을 쏘아보며 말했다.

"본산의 모든 중진과 정예들을 총동원하라."

총관이 움찔 놀라며 그를 쳐다보았다.

하지만 제갈천상이 눈을 부릅뜨고 자신을 쏘아보자, 총관은 깜짝 놀라며 저도 모르게 다시 고개를 숙였다. 그의 머리 위로 제갈천상의 추상같은 목소리가 엄하게 내려앉았다.

"무적가의 전력을 동원하여 성도부를 치겠다. 설령 그곳이 복마전이라 하더라도, 그곳에 염왕(閻王)이 있다 하더라도 상관없다. 감히 본가의 사람을 해친 죄, 반드시 그 죄를 물도록 할 테니까!"

총관은 저도 모르게 크게 소리쳤다.

"존명!"

* * *

약탕을 달이던 당혜혜는 살짝 난감한 표정을 지으며 창고 쪽으로 시선을 돌렸다. 석정이 기거하고 있는 그곳에서 계속해서 짐승의 그것처럼 들리는 신음이 흘러나오고 있었다.

"아무래도 독기가 가라앉지 않는 모양이야."

당혜혜는 한숨을 내쉬었다.

지난 닷새 동안 지닌 지식을 총동원하여 석정의 독기를 완화하고 가라앉히려 노력했지만, 지금 그녀의 힘으로는 역부족인 일이었다.

"역시 사숙(四叔)이나 구숙(九叔)의 도움이 필요해."

당혜혜는 가볍게 입술을 깨물었다.

사실 당혜혜는 화군악과 함께 석정을 데리고 사천당문을 방문하여 그를 치료하자는 제안에 찬성했다.

하지만 누구보다도 야래향이나 빙혼마고의 반대가 심했다. 당혜혜가 임신한 상태로 사천당문까지 여행을 하는 게 무리라는 것이었다.

"지금이 가장 위험할 때야. 차라리 오 개월, 육 개월이 되면 더 안전하니까 그때까지 이곳에서 석정을 치료하는 게 어떨까 싶은데."

당시 빙혼마고의 말에 화군악이 의아하다는 표정을 지으며 물었다.

"마고는 애도 낳지 않았으면서 그런 걸 어찌 그리 잘 아세요?"

일순 빙혼마고의 안색은 급변했고 야래향은 헛기침을

했다. 눈치 빠른 화군악은 자신이 하지 말았어야 할 말을 꺼냈음을 알아차렸다.

"아, 알았어요. 아무래도 늙은 생강이 맵다고, 노인네들 말을 따르면 자다가도 떡 하나 더 생기겠죠, 뭐."

화군악은 그렇게 두루뭉수리 이야기를 마무리 지었으며, 당혜혜나 다른 사람들 모두 화군악의 말에 고개를 끄덕였다.

'하지만 이제 한계야.'

당혜혜는 부글부글 끓는 약탕기를 지켜보며 생각했다.

'이 약으로 석정 오라버니의 독을 제어하는 건 길어야 보름. 당가타까지의 거리를 생각하면 최소한 닷새 안에는 이곳을 떠나야 해. 그렇지 않으면…….'

석정의 전신은 썩어 문드러지고 칠공으로 검은 피를 뿜어내며 죽게 될 것이다.

'그러니 지금 당장 당가타로 떠날 준비를 해야 하는데…….'

문제는 그녀의 낭군 화군악이 지금 이 장원에 없다는 점이었다. 또한 담우천이나 장예추, 설벽린 역시 장원을 비운 상황이었다.

그렇다고 당혜혜 홀로 석정과 함께 여행을 떠나는 건 아무리 생각해도 무리였다. 누군가 그녀를 도와줄 사람이 필요했다.

한동안 심각한 표정으로 고민하던 당혜혜는 약이 타는

냄새에 깜작 놀라 정신을 차렸다. 그녀는 서둘러 약을 달여 낸 후 약사발에 거무죽죽한 약물을 담아서 창고로 들어섰다.

창고에는 침상이 놓여 있었고 몇 개의 차탁과 탁자가 있었다. 차탁을 끌어다가 붉게 달아오른 화톳불 앞에 모여 앉아 있던 야래향과 빙혼마고가 그녀를 돌아보았다.

빙혼마고가 웃으며 물었다.

"무슨 상념이 그리 깊기에 약까지 태웠어?"

"죄송합니다."

당혜혜는 사과하며 침상으로 다가갔다. 침상에는 전신에 붕대를 칭칭 감은 석정이 누워 있었다. 빙혼마고가 자리에서 일어나 석정에게 다가가 그를 자리에 앉혔다.

"제, 수, 씨……."

석정이 당혜혜를 보고 웃으려 애를 썼다. 당혜혜도 따라 웃으며 말했다.

"약 드실 시간이에요."

"이리 주렴. 내가 먹일 터이니."

빙혼마고의 말에 당혜혜는 약사발을 건네주었다. 빙혼마고는 마치 어린 아들에게 약을 먹이듯 석정을 향해 다정한 미소를 지으며 말했다.

"자, 이거 마시고 얼른 나아야지?"

석정은 힘들게 입을 벌렸다. 빙혼마고가 조심스레 약사

발을 입에 가져다 댔다. 조금씩 약물이 석정의 입안으로 흘러들어갔다.

일다경(一茶頃) 가까운 시간이 흘렀다. 빙혼마고는 약사발을 다시 당혜혜에게 건넨 후 석정을 조심스레 뉘였다.

"붕대는 아직 갈아 주지 않아도 될 것 같아요."

당혜혜는 석정의 몸 상태를 확인하며 말했다.

"많이 좋아졌어요. 아무리 늦어도 한 달 안에 다 나을 거예요."

"고, 마, 워, 요."

석정은 닷새 전 이곳으로 오기 전보다 훨씬 더 더듬거리며 말했다.

당혜혜는 석정에게 인사를 한 후 밖으로 나가려다가 문득 야래향을 향해 살짝 고갯짓을 했다. 야래향은 그녀의 의도를 눈치챈 듯 끄응, 하며 자리에서 일어났다.

"군악의 딸내미가 우는 소리가 예까지 들리네. 한번 가 봐야겠어."

"그게 들려?"

석정을 수발하던 빙혼마고가 눈을 휘둥그레 뜨며 야래향을 돌아보았다. 야래향이 희미하게 웃으며 말했다.

"너도 할미가 되면 들릴 거야."

"쳇."

빙혼마고가 투덜거렸다.

당혜혜와 야래향은 창고를 나섰다. 한겨울의 차가운 바람이 세차게 휘몰아쳤다. 야래향은 하늘을 올려다보면서 살짝 눈살을 찌푸렸다.

"눈이라도 쏟아질 것 같은 날씨네."

당혜혜도 하늘을 쳐다보았지만 어제나 그제의 하늘과 별반 달라 보이지 않았다. 당혜혜가 다시 야래향을 돌아보았다. 야래향이 웃으며 그녀에게 말했다.

"그래, 할 말이 있으면 지금 해 보렴."

당혜혜는 잠시 망설이다가 조심스레 입을 열었다.

"아무래도 당가타에 가 봐야 할 것 같아요."

야래향의 미소가 살짝 굳어지는가 싶었으나 그녀는 마치 그 말을 들을 줄 알았다는 듯이 천천히 고개를 끄덕이며 말했다.

"그럼 강 장주에게 이야기를 해 봐야겠네."

2. 철옹성(鐵甕城)

강 장주, 강만리는 지금 순찰당주 양위, 호원당주 왕주봉, 그리고 고굉, 헌원중광과 더불어 한참 논의를 하고 있었다. 대청 탁자에는 흙과 모래 등으로 오밀조밀하게 만든 모형이 놓여 있었는데, 다름 아닌 화평장의 모형도였다.

"이렇게 되면 아무래도 북쪽 경계가 허술해집니다. 일전처럼 절정의 고수들이 기습을 감행한다면 그들을 막아낼 수가 없게 됩니다. 연환철노야 그렇다 치더라도 아무래도 절정단심사는 그 수량에 한계가 있으니까요."

양위가 모형도의 북쪽 담을 가리키며 말했다. 모형도를 뚫어지게 내려다보던 헌원중광이 턱을 매만지며 불쑥 입을 열었다.

"차라리 함정을 더 준비하고 연환철노를 몇 대 더 만들어서 방비하는 건 어떨까?"

"지금도 함정은 차고 넘칩니다. 하지만 그 함정이라는 게 일반 고수들을 상대할 때는 유용하겠지만 당경이나 노경급 절정 고수들을 상대하기에는 마냥 부족합니다."

"당경이나 노경급 고수가 그리 자주 기습할 리가……."

"아닙니다. 앞으로는 문경급 이상의 초절정 고수들의 기습까지 염두에 두어야 합니다."

"호오, 그런가?"

양위의 말에 헌원중광은 물론 왕주봉, 심지어 고굉까지 눈을 휘둥그레 뜨며 그를 돌아보았다.

당경이라는 건 구파일방의 당주급 무위를 지닌 고수라는 의미였다. 노경은 곧 구파일방의 장로급 고수들을 가리켰고, 문경이라 함은 구파일방의 장문인급 초절정 고수들을 의미하는 단어였다.

즉, 지금 양위는 이곳 성도부의 후미진 골목가에 위치한 화평장에 구파일방의 장문인급들 고수들이 기습을 감행하러 온다고 말하는 것이다.

양위를 쳐다보던 사람들은 다시 시선을 돌려 강만리를 쳐다보았다.

'도대체 이 퇴역 포두가 얼마나 대단한 인물이기에……'

강호무림의 그런 초절정 고수들의 기습까지 염두에 두고 방비를 해야 하는 것일까.

강만리는 그런 사람들의 의중을 읽은 듯 가볍게 눈살을 찌푸리며 말했다.

"말이 그렇다는 것이오. 소 잃고 외양간 고치느니 그전에 미리 튼튼하게 준비하자는 뜻이오."

그렇게 별거 아니라는 투로 이야기한 후 강만리는 헌원중광을 돌아보며 물었다.

"혹시 절정단심사 같은 건 만들 수 없으시오?"

"불가하네."

헌원중광은 고개를 저었다.

"그런 걸 간단하게 만들어 낼 수 있다면 어찌 절정단심사를 사천당문의 절대암기라고 부를 수 있겠나?"

고굉이 끼어들었다.

"그렇다면 부족한 물량은 결국 사천당문에게 가서 얻어 와야 한다는 거네요."

강만리가 그를 노려볼 때 헌원중광이 고개를 끄덕이며 말했다.

"그야 그렇겠지. 하지만 사천당문에 절정단심사가 넉넉하게 있는지도 문제이고."

"그럼 다른 문제도 있나요?"

"조금 다르기는 한데…… 이왕 절정단심사를 얻어 올 바에야 아예 다른 물건들, 가령 환빈야연(歡賓夜燕) 같은 걸 얻어 오는 게 훨씬 더 낫겠지. 침입자를 방비하는 데에는 그만한 게 없으니까."

"환빈야연이요?"

고굉을 비롯한 양위, 왕주봉은 낯선 그 단어에 고개를 갸웃거렸다.

하지만 강만리는 이미 장예추를 통해 들어 본 적이 있었고, 그 까닭에 환빈야연이라는 물건이 얼마나 엄청난 위력을 지닌 독물인지 잘 알고 있었다.

"흠, 어쨌든 그건 차후에 생각해 보기로 하고……."

강만리가 엉덩이를 긁적이며 입을 열었다.

"장원을 옮기는 건 어떨 것 같습니까?"

이번에는 헌원중광의 눈이 휘둥그레졌다.

"응? 장원을 옮겨? 어디로?"

강만리는 자신을 향해 쏘아지는 사람들의 시선을 피하며 별일 아니라는 투로 대답했다.

"아니, 이곳은 아무래도 사람들에게 너무 많이 알려진 것 같아서 말이죠. 시도 때도 없이 온갖 놈팡이들이 찾아오니까요. 가령 고굉 같은 녀석들 말입니다."

"아니, 형님!"

"농이다, 농."

"전혀 농으로 안 들리는데요?"

"그건 네게 자격지심이 있어서 그런 게야."

강만리는 그렇게 고굉을 타박을 한 후 다시 헌원중광을 향해 말했다.

"아무도 모르는 곳에 수백 명 인원이 이십 년 이상 머물 수 있는 철옹성을 짓는다면 과연 그 기간이 얼마나 소요될 것 같습니까?"

헌원중광은 강만리를 쏘아보듯 바라보며 물었다.

"진심으로 묻는 말인가?"

"물론입니다."

"철옹성이라면 지금 이 화평장보다 훨씬 더 엄중한 경비를 갖춘?"

"지금보다 다섯 배는 더 엄중해야겠죠."

"흐음."

헌원중광이 턱을 매만지자, 강만리가 얼른 말을 덧붙였다.

"강호무림에 전설로 남을 만한, 그래서 후세 사람들이 철옹성 하면 곧 그 장원을 기억하고, 또 헌원중광을 떠올릴 정도의 수준이어야 합니다."

"오호! 그렇다면 내 이름이 역사에 남겠군그래?"

"물론입니다."

"그런 걸작을 만들려면 아무리 시간과 노력을 투자해도 부족하지. 게다가 거기에 투입될 자금도……."

헌원중광이 느릿하게 말하고 있을 때 갑자기 고굉이 끼어들었다.

"시간과 노력을 넉넉하게 투자해서 만들 수 있다면 그게 어찌 걸작이겠습니까?"

"으응?"

"무릇 역사에 이름이 남길 정도의 일이라면 부족한 시간에, 부족한 인원과 자금을 가지고도 그만한 걸작을 만들어 낼 수 있어야만 비로소 그 가치를 인정받지 않을까요?"

"허어, 듣고 보니 그럴 법하군그래."

"아마 강 형님도 그런 뜻으로 말씀드린 게 아닌가 싶습니다만, 어떤가요?"

고굉은 마치 '나 좀 칭찬해 줘요.' 하는 듯 초롱초롱 반짝이는 눈빛으로 강만리를 바라보았다.

강만리는 고개를 끄덕이며 말했다.

"이번만큼은 고굉 말이 맞습니다. 제가 원하는 게 바로 그겁니다. 최소한의 시간과 노력과 자금을 투입하여 사상 최강의 철옹성을 만들어 내는 겁니다."

"흐음."

헌원중광은 눈살을 찌푸리며 다시 턱을 만지작거렸다. 곤란하다거나 난감하다는 표정은 아니었다. 그는 지금 강만리의 조건에 충족한 철옹성을 만들 수 있기 위해서 필요한 자금과 시간과 노력을 계산하고 있는 중이었다.

그러다가 문득 헌원중광은 한숨처럼 탄식을 흘렸다.

"아……."

고굉이 재빨리 입을 열었다.

"뭐가 문제인데요?"

"문제라고 하기보다는……."

헌원중광은 힐끗 모형도를 내려다보며 말했다.

"절정단심사 같은 암기들이 더 많이 있었으면 해서 그렇다네. 지금보다 다섯 배 이상 엄중한 철옹성을 만들려면 또 그만큼의 암기와 기관진식들이 필요할 테니까."

기관진식을 늘리는 일이야 현재의 화평장에서도 충분히 할 수 있었다.

이곳 화평장의 기관진식을 만든 이들은 외부 인사가 아니라 장예추와 당혜혜, 그리고 정소흔이었고, 그들이라면 충분히 또 다른 기관진식을 만들 수 있었다.

문제는 암기였다. 그것도 어디에서나 구할 수 있는 평범한 암기가 아닌, 철옹성에 걸맞은 불침(不侵)의 암기가 필요했다. 그리고 그건 화평장에 없었다.

"거기에다가 벽력당(霹靂堂)의 폭약들도 있으면 더 좋겠지. 어쨌든 화평장의 인원은 적고 반면 상대의 수는 그보다 몇 십 배는 많을 테니까. 소수의 인원으로 다수를 상대하기에 벽력당의 폭약보다 더 좋은 건 없지."

강호에는 수많은 문파가 있었다.

그들 문파는 각자 자신들 고유의 무공이나 특기를 살려 명맥을 이어 가고 명성을 누렸다. 그중 몇몇 문파들은 상당히 이질적이고 특이한 것들로 자신들의 명성을 떨쳤는데, 가령 모산파나 묘강 독문, 강시당, 그리고 벽력당 같은 곳이 바로 그러했다.

모산파는 기문둔갑(奇門遁甲)이나 도록술(圖錄術)로 대변할 수 있는 방술(方術)로 유명한 문파였다. 또한 강시를 만들고 제어하고 조종할 수 있는 집단이기도 했다.

수년 전 강만리는 황궁이 있는 북경부에서 저 모산파가 조종하는 강시들과 마주칠 뻔한 적이 있었다.

강시당(殭屍堂)은 그것과 조금 달랐다.

그들은 자신들의 신체를 강시처럼 만들어서 무공을 펼쳤다. 즉, 신체를 금강불괴 수준으로 만드는 외공과 강시독을 연상시킬 정도의 강력한 독공에 특화된 조직이 바로 강시당이었다.

벽력당은 화약을 이용하여 암기를 만들고 폭약을 만들며 심지어는 폭탄까지 제조하는 집단이었다.

그들은 한 줌의 화약으로 한 개의 성을 괴멸시킬 수 있다고 자신할 정도로 화약을 다루는 데에 능통했다.

그들이 만든 폭약은 엄청난 고가의 물건이었으나 강호의 무림인은 물론 관부나 나라에서도 그것들을 구하지 못해 안달이었다.

'벽력당이라.'

강만리는 좁쌀 만한 눈을 끔뻑거렸다.

헌원중광이 꺼내기 전까지는 미처 전혀 생각해 보지 못한 곳이었다.

하지만 전설처럼 떠도는 벽력당의 폭약들이 진짜 그 위력을 지니고 있다면, 확실히 심도 깊게 생각해 볼 문제이기는 했다.

'하지만 그건 나중 일이고…….'

강만리도 화평장의 모형도를 내려다보았다.

'사천당문의 암기를 더 구할 수 있다면…….'

그가 내심 그렇게 중얼거릴 때였다. 대청의 문이 열리고 야래향과 당혜혜가 들어왔다.

강만리는 고개를 들어 그녀들을 바라보고는 살짝 움찔거렸다. 왠지 모르게 그녀들의 표정이 단호하게 느껴졌기 때문이었다.

"무슨 볼일이라도 있으십니까?"

야래향이 당혜혜를 돌아보았다. 당혜혜가 한 번 입술을 깨문 다음, 입을 열었다.

"당가타에 가야겠어요."

일순 강만리의 눈이 휘둥그레졌다.

3. 여인들의 반란

"흠, 몸은 괜찮겠소이까?"

이야기를 다 들은 강만리는 다른 것보다 먼저 당혜혜의 안위부터 걱정했다. 장예추가 자리를 비운 상황에서 만약 당혜혜에게 문제가 생긴다면 그보다 최악의 일은 없었다.

당혜혜는 살짝 미소를 지으며 말했다.

"많이 좋아졌어요. 이제 입덧도 거의 하지 않아요."

야래향이 말했다.

"승차감 좋은 마차와 솜씨 좋은 마부가 있으면 될 게야. 또 이 아이와 석정을 도와주고 보살펴 줄 사람들 몇 명을 함께 보내면 되는 일이고."

"아휴, 제 걱정은 하지 않으셔도 돼요."

"아니오. 이건 제수씨뿐만 아니라 예추, 더 나아가서는 우리 화평장 가족 모두의 일이니 걱정할 수 있을 만큼 걱정해야 하오."

강만리는 문득 한숨을 쉬며 말을 이었다.

"이럴 줄 알았더라면 예추를 보내는 게 아니었는데."

"그렇게까지 말씀하시면 외려 제가 더 미안하고 송구스러워져요."

당혜혜가 말했다.

"그때와 지금의 상황이 다른 만큼 대처 방법도 달라질 수밖에 없는 거죠. 그이가 자리를 비운 것과 이번 일과는 전혀 다른 이야기예요."

"그렇기는 하지만……."

"이번에는 나도 따라갈까 하는데."

이야기가 조금 길어질 듯싶자 야래향이 끼어들었다.

강만리가 살짝 놀란 눈빛으로 그녀를 돌아보았다.

"대부인께서요?"

야래향은 고개를 끄덕이며 말했다.

"나와 마고, 그리고 몇 명의 호위 무사들이라면 어지간한 일이 발생하더라도 능히 감당할 수 있지 않을까?"

야래향이 미리 생각해 두었다는 듯이 거침없이 말을 이어 나갈 때였다. 대청의 문이 활짝 열리고 한 무리의 여인들이 우르르 들어왔다.

강만리는 저도 모르게 움찔 놀라며 그녀들을 돌아보았다. 그의 아내인 예예를 비롯해서 정소흔, 그리고 나찰염요와 소화까지 모습을 보였다.

예예들은 야래향에게 인사를 한 후 자리에 앉았다.

"무, 무슨 일이오?"

강만리가 더듬거리며 묻자 예예가 웃으며 대답했다.

"당 언니가 사천당문에 간다는 이야기를 들어서요."

"응? 누구에게?"

"누구겠어요?"

강만리는 살짝 머리를 굴리다가 가볍게 신음을 토했다.

"으음, 하여튼 입이 싼 놈이라니까."

고굉일 것이다.

강만리가 당혜혜와 야래향과 셋이 이야기를 나누겠다면서 사람들을 내쫓은 이후, 쫓겨난 고굉은 쪼르르 예예에게로 달려가 고자질을 했을 것이다.

아니, 어쩌면 우연히 예예를 만났다가 자랑스럽게 떠벌렸을 수도 있었다. 어쨌든 예예에게 이야기를 한 사람은 고굉이 분명했다. 헌원중광이나 양위, 왕주봉이 그녀에게 이야기할 리는 없었으니까.

'젠장, 정말 도움이 되는 구석이 하나도 없는 녀석이다.'

강만리가 내심 고굉을 욕하고 있을 때, 예예가 야래향과 당혜혜를 돌아보며 물었다.

"두 분만 가시는 건 아니죠?"

야래향이 대답했다.

"마고도 함께 갈 거야."

예예가 한 차례 크게 고개를 끄덕인 후 입을 열었다.

"폐가 아니라면 저도 따라가고 싶어요."

"응? 그건 또 무슨 말이오?"

강만리가 깜짝 놀라 그녀를 돌아보았다. 하지만 예예는 그를 거들떠보지도 않고 말을 이어 나갔다.

"그동안 바깥 구경을 한 지 너무 오래되었거든요. 이참에 바람도 쐬고 사천당문도 보고 싶은데, 괜찮을까요?"

당혜혜가 힐끗 강만리를 바라보며 말했다.

"나야 괜찮지만······."

강만리가 눈살을 찌푸리며 말했다.

"놀러 가는 게 아니오."

"나도 알아요."

예예가 단호한 표정을 지으며 말했다.

"그렇기 때문에 더 따라가겠다는 거예요. 어쨌든 당 언니는 지금 임신 중이잖아요? 시녀들이 수발을 드는 것보다는 제가 훨씬 더 나아요. 그래도 임신했을 때 뭐가 불편한지, 뭐가 중요한지 잘 알고 있으니까요."

강만리는 안 된다고 말하고 싶었지만 마땅히 반대할 말을 찾지 못했다. 기껏 생각해 낸 게 역시 강정에 대한 일이었다.

"그럼 아정은 누가 돌보고?"

"소화 언니가 돌봐 주신다고 하셨어요."

"응? 둘째 형수님이?"

강만리는 소화를 돌아보았다. 소화가 멋쩍게 웃으며 말했다.

"애들 보는 건 누구보다도 자신이 있거든요."

"맞아요. 아정이나 아군 모두 자기들 엄마보다 소화 언니를 더 잘 따라요."

강만리는 꿀 먹은 벙어리가 되었다.

그건 강만리도 잘 알고 있었다. 예예가 화평장 안주인 역할을 하느라 바쁠 때, 소화가 유모처럼 강정을 보살펴 주었다. 화군악과 정소흔 부부 역시 소화를 믿고 자신들의 딸 화소군을 맡긴 후 각자의 일에 전념했다.

소화는 담호와 담창, 그리고 강정과 화소군의 엄마 노릇을 톡톡히 했으며, 아이들 모두 그녀를 친엄마 이상으로 믿고 따랐다.

그런 소화를 믿고 있기에 예예는 강정을 두고 화평장을 비우겠다는 생각을 할 수가 있었던 것이다.

"물론 우리끼리만 가겠다는 건 아니에요."

예예는 꿀 먹은 벙어리가 된 강만리를 바라보며 입을 열었다.

"염요 언니도 함께 가겠다고 하셨으니까, 안전 문제는 걱정하지 않으셔도 될 거예요."

"형수님까지?"

강만리는 더욱 놀란 눈으로 나찰염요를 바라보았다. 그녀가 차분한 어조로 말했다.

"저 역시 한동안 바람을 쐬지 못했거든요."

"으음."

강만리가 신음을 흘릴 때 예예가 다시 입을 열었다.

"안 그래도 장원의 경계 경비 때문에 정신없는 상황이 잖아요? 경비를 강화하고 경계에 신경 써야 하는 와중에 따로 무사들을 차출할 필요는 없다는 거예요. 그리고 무엇보다…… 우리 여인네들끼리 간다면 아무래도 사천당문 측에 뭔가 부탁하기가 더 편하지 않을까 싶기도 하고요."

예예는 마치 강만리가 무슨 걱정을 하고 있는지, 지금 무엇을 필요로 하고 있는지 잘 알고 있다는 투로 말을 맺었다. 강만리의 얼굴이 살짝 일그러졌다.

'고굉 자식, 절정단심사와 환빈야연 이야기까지 다 까발렸나 보구나.'

강만리는 길게 한숨을 내쉬었다. 이야기나 표정을 보건

대, 예예는 아예 작정하고 이곳으로 달려온 모양이었다. 그것도 화평장의 모든 여인들을 다 규합한 채로.

강만리는 설마 하는 심정으로 물었다.

"혹시 제수씨도 같이 가실 생각이오?"

강만리의 시선을 받은 정소흔은 살그머니 고개를 끄덕이며 대답했다.

"저만 빠질 수는 없잖아요."

'그렇겠지.'

강만리가 속으로 한숨을 내쉴 때 예예가 얼른 정소흔의 말을 받았다.

"정 언니는 무당파 장문인의 따님이잖아요? 만에 하나 우리가 정파의 인물이 아니라는 사실을 마땅치 않게 생각하는 사천당문분들이 계신다면 그때 크게 한목소리를 낼 수도 있어요."

"우리 당문에는 그런 사람이 없어."

당혜혜의 말에 예예가 고개를 끄덕이며 말했다.

"물론 알아요. 당연히 그렇겠죠. 그렇지 않고서야 어찌 언니를 장 오라버니께 시집보냈겠어요? 하지만 모든 일에는 만에 하나, 라는 걸 대비해야 하니까요."

예예는 똑 부러지게 말했고, 사람들은 다들 그녀의 말에 수긍했다. 당혜혜도 더 이상 입을 열지 않았다.

'젠장.'

강만리는 다시 속으로 한숨을 내쉬었다.

'이거…… 여인들의 반란이라고 해야 하나?'

반란까지는 아니더라도 지금 화평장의 모든 여인들, 그러니까 소화를 제외한 안주인들 모두가 한마음 한목소리로 여행을 떠나겠다고 하는 것이다.

난감한 일이었다.

왜 하필 장원에 강만리 혼자 남게 되었을 때 이런 일이 생겼는지, 담우천이나 장예추 화군악, 아니 설벽린만 곁에 있어도 이렇게까지 난처하고 답답하지 않았을 것이다.

물론 사실 어떤 의미에서는 그녀들의 주장이 이해 가기도 했다.

예예는 차치하더라도 당혜혜나 정소흔, 나찰염요들은 지난날 강호를 주름잡고 사방팔방 돌아다니던 여걸들이었다. 그러니 이 좁은 화평장에서 갇혀 살 듯 지내면서 그녀들이 느꼈던 답답함은 말로 설명할 수 없을 정도였으리라.

남편들은 십만대산이니 불산이니 뭐니 하면서 늘 밖으로 떠도는데, 그들과 함께 강호를 주유하던 아내들은 아이들을 보살피고 남편 뒷바라지를 하며 집안일에 힘쓰느라 성도부 밖으로는 아예 나갈 생각조차 하지 못했던 것이다.

그러니 마침 당혜혜가 석정의 치료를 위해서 사천당문으로 떠난다는 소식은 그녀들에게 있어서 한 줄기 빛과 같은 이야기였으리라.

강만리는 잠시 생각하다가 문득 야래향을 돌아보았다. 강만리와 시선이 마주치자 야래향은 알게 모르게 살짝 고개를 끄덕였다.

아내의 말을 들어 달라는 의미이리라. 너무 걱정하지 않아도 된다는 뜻이리라. 가끔은 여자들끼리 시간을 보내고 바람을 쐬게 하는 것도 나쁘지 않은 방법이라는 조언의 끄덕임일 것이리라.

결국 강만리도 그녀를 따라 고개를 끄덕이며 말했다.

"어쩔 수 없구려. 다들 그리 말씀하시니 말이오."

일순 여인네들의 얼굴에 화색이 돌았다. 강만리가 서둘러 말을 이었다.

"하지만 준비는 철저히 해야 하오. 최소한 마차는 두 대를 준비하고 따로 마부는 물론 무사들까지 함께 가야 하오. 아, 양 당주가 좋겠구려."

"그럴 것까지는 없어요."

예예의 말에 강만리가 고개를 저었다.

"아니오. 양 당주와 십여 명의 무사들이 호위해야……."

"잠깐만 이리 와 봐요."

갑자기 예예가 강만리의 말을 끊은 다음 대청 구석진

곳으로 그를 데리고 갔다. 강만리가 어리둥절해할 때 예예가 그를 노려보듯 흘기며 말했다.

"우리끼리 알아서 할 테니까 당신은 이곳 일에만 전념하세요."

"하, 하지만……."

"여보."

예예의 낮고 단호한 목소리에 강만리는 움찔거렸다. 그는 머쓱한 표정으로 엉덩이를 긁적거리다가 결국 그녀의 시선을 피하며 고개를 끄덕였다.

"알겠소. 당신 뜻대로 하구려. 하지만 부탁하건대, 진짜 조심해야 하오."

"그럼요. 조심할게요."

예예는 그제야 부드럽게 웃으며 강만리의 팔을 다독이며 말했다.

"어쨌든 우리도 무림오적의 아내들이라고요. 너무 걱정하지 마세요."

강만리는 길게 한숨을 내쉬며 말했다.

"알겠소. 누가 뭐라고 했소?"

다음 날.

야래향과 빙혼마고, 예예와 당혜혜, 나찰염요와 정소흔, 그리고 석정. 이렇게 일남육녀는 사두마차 한 대와 세 필의 말과 함께 화평장을 나섰다.

　그래도 강만리가 이것만큼은 양보할 수 없다고 끝까지 고집한 덕분에 양위가 사두마차의 마부석에 앉았다. 양위가 북해빙궁의 순찰당주였던 만큼, 예예도 더 이상 완강하게 거부하지 않았다.

"그럼 출발하죠."

　예예가 말고삐를 가볍게 흔들었다.

　정소흔과 나참염요가 예예와 나란히 말머리를 함께하는 가운데, 야래향과 빙혼마고, 당혜혜와 석정을 태운 마차가 천천히 골목을 벗어나 남쪽으로 향하는 대로로 접어들었다.

　유난히 북풍 차가운 바람이 시원하게 느껴지는 아침이었다.

4장.
폭설(暴雪)

호랑이를 사냥할 때는 반드시 무리를 지어 모여 있어야 했다.
사방에서 포위한답시고 몇 명씩 조를 나누는 건 자살행위와 다를 바가 없었다.
특히 바람을 등진 채로 포위망을 형성하려는 건,
그야말로 호랑이 입에 제 머리를 들이미는 행동이라 할 수 있었다.

1. 사냥꾼

담우천과 함께 행동하면서 장예추는 몇 번이나 감탄하고 탄복했는지 몰랐다. 무림의 사냥꾼이라는 의미로 그에게 붙여진 무림엽사(武林獵師)라는 별호는 외려 담우천에게 더 잘 어울린다는 생각이 들 정도였다.

놀랍게도 담우천은 장예추의 선친이 늘 그에게 해 줬던 금언(金言)처럼 생각하고 행동했다.

"사냥에 있어서 가장 중요한 덕목은 인내란다. 사냥감이 긴장을 풀고 방심할 때까지는 무조건 기다리고 또 기다려야 해."

"활시위를 당기는 건 단 한 번이면 된다. 두 번은 이미 실패

한 거야."

"등을 노리되 등을 조심해야 해. 정면에만 정신을 팔다가 뒤를 기습당할 수가 있거든."

"다른 건 몰라도 바람은 등지는 게 아냐. 잠잘 때나 휴식을 취할 때에도 항상 바람은 정면으로 맞아야 한다."

장예추의 선친은 청성산에서 유명한 사냥꾼이었다. 심지어 호랑이도 잡아 본 적이 있을 정도로 노련하고 유능하며 경험 많은 사냥꾼이었다.

선친은 어린 장예추와 함께 다니면서 귀에 딱지가 앉을 정도로 이런저런 이야기를 해 주었다. 선친의 모든 이야기는 자신의 경험과 다른 사냥꾼 선배들의 경험에서 나온 금언들이었다.

어린 장예추는 그 금언들을 듣고 자랐고, 이후 강호에서 그 금언데 따라 수많은 무림의 고수들을 상대했다. 그 와중에 구천십지백사백마 중의 한 명인 흑사자를 해치우면서 무림엽사라는 별호를 얻게 되었고, 이후 몽중인이라는 거마까지 해치우게 되었다.

그런 장예추가 보더라도 담우천은 자신보다 한 수 위의 사냥 실력을 지니고 있었다. 무공이야 원래 자신보다 뛰어나다는 걸 잘 알고 있었지만 사냥 실력까지 앞설 줄은 전혀 생각지 못한 장예추였다.

사실 담우천의 장기는 애당초 은신, 은잠, 암습, 기습 등이었다. 그는 정사대전 당시 사마외도의 거마들을 암살하기 위해 전문적인 훈련을 받은 인물이었다.

그러니 아무리 무적가의 정예들이라고 하더라도 담우천의 손아귀에서 벗어날 수가 없었다.

추격 첫날에는 더더욱 쉬웠다.

추격자나 암습자가 있을 거라고는 전혀 생각하지 못한 까닭에, 무적가 사람들은 대부분 방심하고 한눈을 팔았다. 그들은 보초를 서면서도 주변 경계를 살피기보다는 모닥불 주위에 모여 불을 쬐며 잡담을 나누기만 했다.

그 와중에 외떨어진 경비 무사들에게 몰래 다가가 등을 노리고 기습을 펼치는 일은 어린아이 손목 비틀 듯 간단한 일이었다.

이튿날의 경비는 조금 더 강화되었다.

담우천은 결코 함부로 움직이지 않았다. 몇몇 경비 무사들이 소피나 용변을 보기 위해 으슥한 수풀가로 이동할 때까지, 담우천은 죽은 듯이 엎드린 채 그들을 지켜보기만 했다.

결국 경비 무사들은 소피를 보다가, 혹은 용변을 보다가 아무 소리도 내지 못한 채 목숨을 잃고 말았다.

사흘날, 나흘날도 마찬가지였다. 갈수록 경비는 심화되고 무적가 무사들은 촉각을 곤두세우며 암습자들을 경계했다.

그리고 담우천의 진정한 진가가 발휘된 건 바로 그 즈음부터였다.

담우천은 어둠에 몸을 가린 채 뱀처럼 기어 경비 무사들에게 다가갔다. 그의 움직임은 매우 신중하고 느렸다. 한 식경에 겨우 한 보가량 다가갈 때도 있었고, 반 시진 동안 꼼짝하지 않고 바닥에 찰싹 엎드려 있을 때도 있었다.

반면 경비 무사들의 이목에서 벗어났다 싶은 순간에는 그 무엇보다 빠르게 움직였다. 바람 소리, 기척 한 점 내지 않은 채 순식간에 십여 장의 거리를 좁혀 그들의 바로 등 뒤까지 접근한 다음, 단 한 번의 칼질로 그들의 목숨을 끊었다.

장예추는 그런 담우천의 움직임을 보며 많은 것을 배우고 또 새롭게 깨달았다. 담우천의 행동 하나하나 모두 자신의 선친이 남겨 주었던 금언들과 일치한다는 걸 알게 되었다.

그리고 새삼스레 선친의 금언을 떠올리면서, 담우천을 보고 배우며 무적가의 경비 무사들을 암살했다. 장예추의 움직임은 영활하고 노련해서 담우천도 감탄할 정도였다.

"암살에 관해서는 나보다 나은걸."

〈108〉 무림오적 25

"과찬이십니다, 형님."

두 사람은 그렇게 서로를 칭찬하고 서로에게 감탄하면서 수십 명의 경비 무사들을 암살했다.

하지만 닷새째 되는 날, 상황이 급변했다.

무적가 무리의 행렬이 갑자기 멈춰 섰다. 그들은 관도에서 조금 떨어진, 수풀 한 점 없는 너른 황무지로 이동하여 진을 쳤다.

마차와 수레들을 크게 원형으로 두르고 그 안과 밖에 경비를 세웠다. 경비 무사들은 불과 한 걸음 간격에 불과할 정도로 촘촘하게 서서 항무지 주변을 경계했다.

그렇게 되자 담우천과 장예추는 쉽게 그들에게 접근할 수가 없게 되었다.

무엇보다 몸을 숨기고 접근할 수풀이 없다는 게 가장 큰 문제였으며, 설령 그런 어려움을 딛고 가까이 접근했다 하더라도 다른 이들의 이목을 속이고 그들을 암살할 수 있는 방법이 없어 보였다.

"어떻게 하죠?"

장예추가 난감한 표정을 지을 때였다. 담우천은 아무렇지 않다는 듯이 말했다.

"목표를 바꾸면 되는 거야."

"목표라니요?"

"무리를 짓고 있는 놈들보다는 무리에서 떨어져 나온

녀석을 사냥하는 게 더 쉽지 않겠어?"

"그거야 그렇지만…… 아!"

장예추는 뒤늦게 담우천의 말뜻을 이해했다.

"그렇군요. 무리에서 떨어진 놈들을 노리면 되겠네요."

장예추는 고개를 끄덕이면서 관도 맞은편 황무지에 자
리 잡고 있는 무적가 행렬을 주시했다.

아니나 다를까.

얼마 있지 않아서 수십 명의 무사들이 행렬에서 벗어났
다. 그들은 관도를 앞쪽으로 질주했는데 그 속도가 섬전
처럼 빠른 것이, 한눈에 봐도 결코 만만한 고수들이 아니
었다.

하지만 장예추나 담우천에게 있어서 그들은 그저 무리
에서 떨어져 나온 사냥감에 지나지 않았다.

"가지, 우리도."

담우천의 말과 동시에 두 사람이 동시에 경신술을 펼쳤
다. 이내 그들은 앞서 달려 나갔던 무리들의 뒤를 따라잡
았다.

이십여 명의 무적가 무사들은 식량과 식수 등을 조달하
기 위해 파견된 자들이었다.

지나온 마을 객잔에서 음식들을 송두리째 털다시피 사
기는 했지만, 그래도 무적가 행렬이 열흘 정도 버틸 식량
에는 절반도 미치지 못했다.

그런 까닭에 이 이십여 명의 무사들은 관도 앞의 마을들을 돌아다니며 나머지 부족한 물자를 조달하려 한 것이다.

"절대 조를 나누거나 따로 행동하지 말도록."

제갈보운은 그들을 떠나보내기 전, 몇 번이고 신신당부했다. 하지만 그들은 혈기 넘치고 세상 두려울 것 없는 무적가의 젊은 정예무사들이었다.

"그래 봤자 겨우 두 명뿐이다."

"그것도 무림인이라면 외면당할 암살에 특화된 자객들에 불과할 따름이다."

"정면에서 부딪치면 결코 우리를 이길 수 없을 것이다."

"죽은 동료들을 위해서라도 반드시 놈들을 죽여야 한다."

그들은 관도를 따라 달리며 그렇게 서로 의견을 나누었다. 그리고 이렇게 뭉쳐 다니면 자객들이 움직이지 않을 것이라고 생각해서 네 명씩, 여섯 조로 나눠 짝을 이뤘다.

"우선 너희 두 조는 객잔에서 음식을 조달하자. 우리는 조금 떨어진 곳에서 지켜보고 있을 테니까."

"최대한 놈들을 끌어내기 위해서는 우리부터 긴장을 풀고 허점을 보여 줘야 한다. 우리가 철저하게 방심하고 있다는 것처럼 행동하자."

"하지만 만일을 대비해서 서로 백여 장 간격을 유지하자. 무슨 일이 생기거나 놈들의 행적을 발견하면 곧바로 연락을 취하고."

그들은 나름대로 제법 세밀하게 계획을 세웠다. 그러는 동안 조그만 마을이 그들의 시야에 들어왔다. 마을 어귀로 들어서는 순간, 이내 그들은 여섯 조로 나뉘어 마을 곳곳으로 흩어졌다.

계획대로 두 조의 사내들이 객잔을 찾았다.

한적한 마을이었다. 불과 수십 호의 가구만이 있는 조그만 마을이었다. 그나마 관도에 인접해 있어서 오가는 여행객들을 상대로 하는 객잔이 있기는 했다.

하지만 워낙 조그만 마을이라 그런지 객잔은 한 곳뿐이었고, 그곳에서 살 수 있는 음식과 술, 차는 한정적이었다.

"이걸로는 부족해. 다른 마을을 찾아야겠어."

"그럼 녀석들에게 연락해서 마을을 빠져나가자고 할까?"

"아니, 굳이 연락하지 않아도 되지 않겠어? 어차피 어딘가 숨어서 우리를 지켜보고 있을 테니까."

"그렇지. 그럼 이대로 이 마을을 떠나자고."

두 개 조, 여덟 명의 젊은 사내들은 객잔을 나서며 두

런두런 이야기를 나눴다.

그들이 마을 어귀에 당도할 때였다. 두 명의 사내가 그들 앞을 가로막았다. 이십대 초반의 청년과 사십대의 중년인이었다.

무적가 무사들은 낯을 찌푸렸다. 왠지 그들에게서 진한 피 냄새가 흐르는 것 같았기 때문이었다.

"우리에게 볼일이 있소?"

무사들 중 한 명이 묻자 젊은 청년이 고개를 끄덕였다. 무사가 짜증을 내며 물었다.

"무슨 볼일이오?"

바로 그때였다.

중년인의 검이 보이지 않을 속도로 허공을 그었다. 동시에 두 명의 무사가 신음을 흘리며 그대로 앞으로 꼬꾸라졌다. 그들이 들고 있던 음식과 술병이 바닥에 떨어졌다.

쨍그랑!

술병 깨지는 소리가 요란하게 울려 퍼졌다.

나머지 무사들의 안색이 확 변했다. 그제야 이 두 사내의 정체를 알 것 같았다.

"네놈들인가!"

그들은 동시에 소리치며 칼과 검을 빼 들었다. 몇몇 무사는 호각을 꺼내 길게 불며 어딘가 숨어서 지켜보고 있을 동료들에게 연락을 취했다.

"소용없어."

젊은 청년이 무사들 한가운데로 뛰어들며 말했다.

"네 동료들은 이미 모두 죽었거든."

무사들의 안색이 창백해졌다.

2. 유인(誘引)

호랑이를 사냥할 때는 반드시 무리를 지어 모여 있어야 했다. 사방에서 포위한답시고 몇 명씩 조를 나누는 건 자살행위와 다를 바가 없었다.

특히 바람을 등진 채로 포위망을 형성하려는 건, 그야말로 호랑이 입에 제 머리를 들이미는 행동이라 할 수 있었다.

만약 스물네 명의 젊은 정예 무사들이 한데 모여 진을 치고 결사항전을 벌였다면, 아무리 담우천과 장예추라고 하더라도 쉽게 상대하지는 못했을 것이다.

하지만 정예 무사들은 스스로 힘을 분산시켰다. 백여 장 거리를 두고 네 명씩 나뉜 그들은 호랑이에게 등을 보인 사냥꾼들과 다르지 않았다.

여덟 명의 무사들이 객잔에서 이것저것 주문한 다음,

점소이들이 술과 음식들을 준비하고 포장한 후, 계산을 마치고 객잔을 나올 때까지 열여섯 명의 무사들은 그 두 마리의 호랑이들에 의해 목숨을 잃을 수밖에 없었다.

그리고 나머지 여덟 무사 역시 장예추와 담우천이 휘두른 몇 번의 칼질 앞에서 속수무책으로 죽임을 당하고 말았다.

"이건 어떻게 하죠?"

장예추는 아무렇게나 땅에 떨어진 음식들을 내려다보며 물었다. 담우천이 허리를 굽혀 주워들며 대답했다.

"고마워하면 되네. 우리 식량까지 챙겨 준 것을."

한 시진이 흘렀다.

다시 한 시진이 더 흘렀다.

슬슬 날이 어두워지기 시작했다.

하지만 식량을 조달하기 위해 파견된 스물네 명의 무사들은 좀처럼 돌아올 기미가 없었다.

마차 지붕 위에 오른 제갈보운은 가늘게 눈을 뜬 채 관도 저편을 응시하고 있었다. 안 그래도 오가는 행인 한 명 없는 관도, 수십 명이 달려오는 기척은 전혀 느낄 수가 없었다.

"아무래도 사람을 더 보내서 무슨 일인지 확인해야 하지 않겠습니까?"

마차 아래에서 부관 한 명이 조심스레 자신의 생각을 제안했다.

제갈보운은 입술을 깨물었다.

불길했다. 초조했다. 불안했다. 저 노을이 깔리고 있는 서쪽 하늘 아래에서 무슨 변고가 일어난 게 분명했다. 혹시나 하는 마음에서 스물네 명이나 되는 정예 무사들을 보냈는데, 설마 그들 모두 변을 당한 것인 건 아닐까 걱정되었다.

'잘못했다.'

제갈보운은 다시 입술을 질경질경 씹었다.

'애당초 중진들 중 몇 명을 함께 보내야 했다. 젊은 아이들만 따로 보내는 게 아니었다.'

후회는 아무리 빨라도 늦은 법이다.

제갈보운이 뒷짐을 진 채 그렇게 후회하고 아쉬워하는 동안에도 시간은 계속 흘렀고, 그럼에도 불구하고 스물네 명의 무사들은 돌아오지 않았다.

"보운 장로님."

부관이 초조한 듯 말을 건넸다.

"지금이라도 수색대를 조직하여……."

"아니, 오늘은 너무 늦었다."

제갈보운은 고개를 흔들었다.

"날이 벌써 어두워졌다. 밤이 깊어지면 놈들이 더 기승을 부릴 것이다. 그들을 찾느라 병력을 분산할 필요는 없다."

"하지만……."

"그들이 무사하다면 굳이 우리가 찾아 나서지 않아도 돌아올 것이다. 반면 그들이 무사하지 않다면 굳이 우리가 찾아 나설 이유가 없지 않겠느냐?"

일견 옳은 말이었다.

그렇다고 생사가 불분명한 수하들을 가만 놔둘 수는 없지 않을까. 만약 부상을 입은 채 도움을 기다리고 있는 자들이 있다면, 그들을 위해서라도 수색대를 보내는 게 옳지 않을까 싶기도 했다.

그래서 부관은 조심스레 다시 자신의 의견을 개진했지만 이번에도 제갈보운은 고개를 저었다.

"지금껏 놈들이 보여 준 무위를 보건대, 만약 변을 당했으면 단 한 명도 살아남지 못했을 게야. 그러니 냉정한 판단일지언정, 수색대는 보내지 않는 것이 맞다."

제갈보운의 단언에 부관은 더 이상 아무런 말도 할 수가 없었다. 확실히 냉정한 판단이기는 했지만 제갈보운의 결정이 옳다고 느껴졌던 것이다.

'어쩔 수 없다. 무사히 돌아오기를 기원할 수밖에.'

부관은 그렇게 생각하며 자리에서 물러났다.

하지만 부관의 기원은 아무런 소용이 없었다. 날이 개고 새로운 하루가 시작될 때까지 스물네 명의 무사들은 돌아오지 않았다.

결국 제갈보운이 중진들을 불러 말했다.

"수색대를 보내겠소."

중진들은 반대했다.

밤새도록 돌아오지 않은 걸 보면 다들 자객에 의해 목숨을 잃은 게 분명하다고 했다. 또한 또 다른 수색대를 보내 봤자 먼저 행방불명된 무사들의 전력(前歷)을 따를 게 뻔하다고 했다.

제갈보운이 어제 부관에게 했던 말을 중진들이 그대로 이야기하고 있었다.

그러나 오늘의 제갈보운은 어제의 그가 아니었다. 그는 굳게 결심한 눈빛으로 중진들을 둘러보며 입을 열었다.

"내가 수색대를 이끌 것이오."

중진들이 깜짝 놀라며 더욱 반대했다.

"그건 아니 됩니다!"

"행여 장로께 무슨 일이라도 생긴다면 그때는…….."

"차라리 이 몸이 가겠소이다. 몇몇 동료들과 함께 간다면 아무리 자객 놈들이 흉악하다 할지라도 감히 건들 수 없을 것이외다."

중진들은 앞다퉈 말하며 제갈보운을 만류했다. 그러나 제갈보운의 결심은 확고했다.

"놈들에게 있어서 가장 큰 먹잇감은 바로 이 몸이오.

이 몸이 직접 나선다면 반드시 죽이려 들 것이오. 바로 그때야말로 이 신출귀몰한 놈들을 잡을 수 있는 유일한 기회라고 생각하오."

일리가 있는 말이었다.

또 지금처럼 저 보이지 않는 자객들에 의해 계속해서 속절없이 당하느니, 위험을 무릅쓰고 놈들을 유인하여 일망타진하는 것이 최선의 방법일 수 있었다.

"하지만 놈들은 강합니다."

중진들이 걱정했다.

"보광 장로와 보령 장로를 살해한 그놈들일 가능성이 매우 큽니다."

"그러니 우리가 함께 가겠습니다. 제아무리 괴물 같은 무위를 지녔다 할지라도 단 두 명만으로 우리들 모두를 상대할 수는 없을 겁니다."

제갈보운은 중진들의 얼굴을 일일이 확인했다.

구백 중 한 명이 있었고 장로가 둘 있었으며, 구파일 방으로 치자면 당주급에 해당되는 중진들이 여섯 명이었다. 그들 아홉에 제갈보운까지 합세한다면, 어쩌면 놈들을 해치울 수 있을지도 몰랐다.

하지만 그렇게 이곳 중진 모두가 우르르 몰려 나갔을 때, 문제는 외려 남아 있는 이 무리에 있었다. 만약 자객들이 제갈보운이 아닌, 남아 있는 무적가 무사들을 기습한다면 그때는 어떻게 될까.

아무리 수가 많다 하더라도 그들을 지휘하고 상황에 따라 여러 가지 서로 다른 지시를 내릴 수 있는 인물이 필요했다. 또 최소한 그들과 맞서 싸울 수 있는 무위를 지닌 고수가 남아 있어야 했다.

그래서 제갈보운은 한 명의 구백과 한 명의 장로, 그리고 두 명의 당주급 중진들을 이곳에 남게 했다. 그리고 자신은 한 명의 장로와 네 명의 중진들, 거기에 더해 열 명의 젊은 무사들을 이끌고 이곳을 떠나기로 결정했다.

"내일 아침까지 오지 않는다면 그때는 우리 모두 죽었다고 생각하시오. 그리고 본산에서 원군이 당도할 때까지 단 한 명도 이곳을 떠나지 말고 기존의 식량으로 버티기 바라오."

제갈보운은 남게 된 중진들을 향해 그리 말하면서 내심 참담함과 자괴감에 빠져야 했다. 겨우 단 두 명으로 추정되는 자객들에 의해 말 그대로 옴짝달싹하지 못한 상황에 처하게 되다니.

하지만 언제까지 감상에 젖어 있을 수만은 없는 노릇이었다. 그는 곧 냉정하고 차분한 어조로 말했다.

"그럼 다녀오리다."

제갈보운은 그 말을 남긴 후 다섯 명의 중진들과 더불어 행렬을 벗어났고, 열 명의 젊은 무사들이 황급히 그 뒤를 따랐다.

황무지를 벗어난 그들은 관도를 따라 곧장 경신술을 발휘했다.

아침나절이었지만 하늘은 회색빛으로 낮게 드리워져 있었다. 우중충하고 꾸물꾸물한 날씨를 보건대, 아무래도 오늘 내일 한바탕 눈이 쏟아질 것만 같았다.

'눈까지 내린다면 야영이 더 힘들 텐데……'

제갈보운의 뇌리에 그런 생각이 떠오를 때였다. 그와 나란히 경신술을 펼치며 관도를 내달리던 장로가 우측을 가리키며 의아한 듯 물었다.

"저게 뭐죠?"

우거진 숲 사이로 주위 다른 나무들보다 두 배는 높이 자란 나무에 검은색의 무언가가 빨래처럼 걸려 있었다. 제갈보운은 속도를 늦추며 눈을 가늘게 떴다. 이내 그의 얼굴이 추악하게 일그러졌다.

"이 개자식들……"

그랬다. 그 검은 물체는 한 구의 시신이었다.

어제 행방불명된 스물네 명의 젊은 정예들 중 한 명의 시신. 그 시신이 빨래처럼, 혹은 허수아비처럼 높은 나무의 가지 끝에 매달려 아슬아슬하게 흔들리고 있었던 것이다.

"천하의 악독한 놈들!"

장로 또한 이를 악물고는 이내 방향을 바꿔 숲으로 달려 나갔다. 중진들과 제갈보운도 황급히 그 뒤를 따랐다.

그들은 날렵하게 숲을 헤치고 나무 가까이 다가갔다. 한 번의 커다란 도약으로 나무 꼭대기까지 훌쩍 뛰어오른 장로는 시신을 품에 안고 다시 지면으로 뛰어내렸다.

뒤늦게 허겁지겁 달려온 열 명의 무사들이 그 시신을 보고는 그 자리에 얼어붙은 듯 굳었다.

장로는 시신을 내려다보며 말했다.

"확실합니다. 어제 행방불명되었던 우리 아이들 중 한 명입니다."

그의 말에 제갈보운은 입술을 깨물었다.

'천하의 악인들이로구나. 죽인 것도 모자라 저렇게 시신을 모욕하다니…….'

화가 머리끝까지 치밀었다. 당장이라도 놈들을 잡아 갈기갈기 찢어 버리고 싶었다. 분노의 화염이 그의 두 눈동자에서 이글이글 타올랐다.

3. 강하다

하지만 제갈보운은 이성을 잃지 않았다.

분노가, 증오가 머리끝까지 치솟는 가운데 제갈보운은

억지로 냉정을 되찾고 머리를 굴렸다.

놈들이 시신을 높이 내건 이유는 오직 하나, 바로 제갈보운들에게 그 시신을 보여 주기 위함일 것이다.

그럼 왜 시신을 보여 주려는 것일까?

'우리가 겁먹고 두려워하라고? 아니면 분노에 휩싸여 이성을 잃고 광분하라고?'

그건 아닐 것이다.

놈들 또한 자신들이 상대하는 이들이 무적가의 제갈보운임을 익히 알고 있을 것이다. 그러니 그런 격장지계(激將之計)가 아무런 소용이 없다는 것도 잘 알 터였다.

그렇다면…….

'우리를 유인하려는 거겠지.'

제갈보운은 사방을 두리번거렸다.

나무들이 빽빽하게 들어선 숲 한가운데였다. 하지만 그렇다고 바로 이 자리에 함정이 준비되어 있는 것 같지는 않았다. 놈들이 원하는 건 다른 곳에 있을 것 같았다.

제갈보운은 잠시 생각하다가 이내 지면을 걷어차고 크게 도약했다.

빠르게 허공 높이 솟구친 그의 신형은 조금 전 시신이 매달려 있던 그 나뭇가지 위로 떨어져 내렸다. 나뭇가지가 가볍게 출렁거렸다.

제갈보운은 조금의 미동도 하지 않은 채 나무 꼭대기에

올라 주변을 둘러보았다. 주변 나무들보다 배는 큰 나무였던 까닭에 제법 먼 곳까지 한눈에 들어왔다.

주변을 둘러보던 제갈보운의 눈빛이 문득 가늘어졌다. 숲 안쪽, 그러니까 관도와는 정반대쪽 방향으로 지금 제갈보운이 서 있는 나무와 비슷한 거목 한 그루가 우뚝 솟아 있었다.

그리고 그 거목 꼭대기에 걸려 있는 검은 물체가 바람에 흔들리는 광경이 그의 시야에 들어온 것이었다.

그랬다. 확실했다. 지금 놈들은 자신들이 만들어 둔 함정으로 제갈보운을 유인하고 있는 게 분명했다.

제갈보운은 이성적으로 생각하려 애썼다.

'저 숲 안쪽에 어떤 함정이 있는지 알 수 없다. 그러니 예서 물러서는 게 정수(正手)라 할 수 있겠다.'

이성은 그렇게 말하고 있었다.

행방불명된 이들의 죽음을 확인한 이상, 다시 무리로 돌아가 전서구를 확인한 본가의 원군이 올 때까지 경계하고 지키는 게 정법(正法)이라 할 수 있었다.

하지만 제갈보운은 아무리 이성적으로 생각하려 해도 그럴 수가 없었다. 저 멀리 바람이 불 때마다 낙엽처럼 흔들리는 검은 물체를 보고 있는 이상, 분노와 증오로 뜨겁게 달궈진 그의 가슴은 좀처럼 식을 줄을 몰랐다.

"북쪽이다!"

제갈보운은 소리치며 검은 물체가 매달려 있는 고목을 가리켰다.

"거리는 예서 약 이백여 장! 이 나무처럼 커다란 나무에 시신이 매달려 있다!"

나무 아래에 있는 이들이 모두 들을 수 있을 정도로 고함을 지른 제갈보운은 곧장 나뭇가지를 박차고 허공으로 몸을 날렸다. 이내 그의 신형이 북쪽 하늘을 향해 나는 듯 사라졌다.

"기다리십시오!"

"함께 움직여야 합니다!"

나무 아래에서 그 광경을 목도한 중진들이 앞다퉈 소리치며 제갈보운의 뒤를 따라 경공술을 펼쳤다.

그들은 노련한 원숭이들처럼 나무와 나무를 타고 빠르게 북쪽으로 이동했다. 열 명의 젊은 무사들도 황급히 그들을 따라 지면을 내달리기 시작했다.

* * *

아침부터 회색빛 하늘이 낮게 드리워져 있다 싶더니, 결국 정오 무렵이 되자 눈이 내리기 시작했다.

우중충한 하늘에서 차갑고 희끗한 눈이 한두 개씩 떨어지나 싶더니 이내 하늘 전체를 뒤엎으며 쏟아져 내렸다.

함박눈이었다.

아기 손바닥만큼 커다란 함박눈이 이내 숲 전체를 하얗게 물들였다. 바람이 크게 휘몰아쳤다. 함박눈은 바람에 따라 사방으로 흩어지며 휘날렸다. 앞이 제대로 보이지 않을 정도의 폭설이었다.

제갈보운은 세 번째 나무에 매달려 있던 시신을 거둬 지면으로 표표히 내려섰다.

일순 그의 굴강해 보이는 눈빛이 분노의 불길로 이글거렸다. 세 번째 시신이 매달린 나무 아래, 십여 구의 시신들이 묘한 형태로 놓여 있었던 것이다.

'개자식들.'

제갈보운은 그 시신들의 형상을 보면서 이를 갈았다.

사(死)

그러했다.

십여 구의 시신은 그 글자의 모양에 따라 이리저리 배치되어 있었던 것이다.

그는 수염을 부들부들 떨면서 저도 모르게 크게 외쳤다.

"시체를 가지고 함부로 장난치다니! 그러고도 네놈들이 사람이란 말이냐!"

그의 목소리가 쩌렁쩌렁 울려 퍼졌다. 쏟아지던 눈발이 사방으로 어지럽게 흩어졌다.

장로를 비롯한 중진들이 헉헉거리며 뒤늦게 달려왔다. 그들 역시 시신들의 기묘한 형상을 한눈에 알아차리고는 주먹을 불끈 쥐었다.

"도대체 우리와 어떤 악연이 있기에 이리도 악랄한 짓을 한단 말인가?"

"결코 용서할 수 없다! 내 모든 것을 걸고 반드시 네놈들을 주살하마!"

"얼마나 대단한 괴물인지 그 낯짝을 보고 싶구나!"

중진들은 차고 넘치는 울분을 다스리기 위해 저마다 고함을 터뜨렸다.

그때였다.

아름드리나무 뒤편에서 한 명의 중년인이 천천히 모습을 드러냈다.

일순 제갈보운과 중진들은 재빨리 자세를 가다듬고 중년인을 노려보았다.

중년인은 느긋한 걸음으로 그들을 향해 다가오다가 십여 장 거리를 두고 우뚝 멈춰 섰다.

"네놈은 누구냐?"

중진들 중 한 명이 소리치자, 중년인은 무뚝뚝한 목소리로 말했다.

"내 낯을 보고 싶다기에 나왔다."

"네, 네놈이로구나!"

중진들은 발작하듯 소리치며 쌍장을 휘둘렀다.

쏟아지는 눈발이 단숨에 녹아 버릴 정도의 뜨거운 열기가 그들의 장심(掌心)에서 발출되었다. 강맹한 열양지력의 장력이 일제히 중년인을 향해 폭사했다.

중년인은 자신을 향해 폭사해 오는 그 십여 개의 장력을 가만히 지켜보다가 어느 한순간 가볍게 보법을 밟았다. 동시에 그의 신형이 시야에서 사라졌다.

"헉!"

"어디로?"

중진들이 화들짝 놀라며 헛바람을 집어삼킬 때, 사라졌던 바로 그 자리에 중년인의 모습이 다시 나타났다. 그야말로 신묘하기 이를 데가 없는 보법이었다.

"……둔형장신보(遁形藏身步)?"

제갈보운이 흔들리는 목소리로 중얼거렸다.

"서, 설마…… 사선행자란 말인가?"

그의 중얼거림에 중진들이 깜짝 놀라며 중년인을 바라보았다.

"사선행자라니? 그렇다면 우리와 같은 편이 아닌가?"

"우리에게 무공을 배우고, 우리 밑에서 수련한 자가 왜 우리를 공격하는 거지?"

중년인, 담우천은 그들의 믿을 수 없다는 반응 앞에서 피식 웃으며 입을 열었다.

"바로 그 때문이다."

묵직한 저음이 차갑게 내려앉았다.

"네놈들에게 무공을 배웠기 때문에, 네놈들 밑에서 수련했기 때문에 네놈들을 죽이려 하는 게야."

"말도 안 되는 소리!"

"은혜를 원수로 갚아도 유분수지, 천하의 악종(惡種)이 아니고서야 어찌 그런 일을 저지를 수가 있느냐!"

"말 못하는 짐승도 주인의 은혜에 보은할 줄 아는데, 네놈은 짐승만도 못하단 말이더냐?"

중진들이 거듭되는 고함에 담우천은 고개를 설레설레 흔들었다.

'주인이라…….'

애당초 대화가 되지 않는 자들이었다.

담우천은 살짝 턱을 들었다. 그리고 손가락을 까닥이며 말했다.

"덤벼라."

중진들은 그 오만한 자세에 버럭 화를 내며 덤벼들려고 했지만 제갈보운이 그들을 제지했다.

"잠깐."

그는 담우천에게서 시선을 떼지 않은 채 말을 이었다.

"수하들이 올 때까지 기다립시다."

중진들은 그제야 열 명의 정예들이 아직 이곳에 당도하지 않았다는 사실을 깨달았다.

'젠장! 느려도 너무 늦구나.'

'본가로 돌아가면 경공술부터 다시 가르쳐야겠다.'

그들이 속으로 중얼거릴 때, 담우천이 천천히 입을 열었다.

"기다려도 소용없을 텐데."

사람들의 눈썹이 크게 휘어졌다.

"그건 또 무슨 소리냐?"

담우천은 사람들의 어깨너머로 시선을 향하며 말했다.

"좀 늦었구나."

사람들의 뒤쪽에서 그에 화답하듯 목소리가 들려왔다.

"죄송합니다. 생각보다 눈이 많이 와서요."

낯선 젊은이의 목소리.

무적가 중진들의 안색이 급변했다.

'다가오는 기척도 느끼지 못했거늘!'

그들은 황급히 몸을 돌렸다. 불과 십여 장 떨어진 거리, 그곳에 한 명의 젊은이가 나무에 등을 기댄 채 한가로이 서 있었다.

그 젊은이를 본 순간 중진들의 얼굴이 딱딱하게 굳어졌다. 그제야 왜 열 명의 정예들이 아직도 이곳에 당도하지 않고 있는지 알 것·같았기 때문이었다.

"서, 설마……."

누군가 더듬거리며 입을 열었다.

"네놈이 모두 죽인 것이냐?"

젊은이, 장예추는 몸을 일으켜 세우며 말했다.

"쏟아지는 눈 때문인지 내 기척을 전혀 눈치채지 못하더군. 덕분에 생각보다 쉽게 해치울 수 있었어."

"이, 이……."

사람들은 더 이상 말을 잇지 못했다.

장예추는 그런 중진들은 아랑곳하지 않은 채 담우천을 향해 말을 건넸다.

"제가 이쪽 네 명을 맡죠."

장예추가 손가락으로 가리킨 이들은 무적가 당주급의 중진 네 명이었다.

담우천이 고개를 끄덕이며 말을 받았다.

"그럼 나는 이쪽 둘을 맡지."

제갈보운과 장로가 어이없다는 눈빛으로 담우천을 바라보았다.

하지만 다음 순간 제갈보운은 저도 모르게 몸을 부르르 떨어야 했다. 담우천과 눈이 마주치는 바로 그 순간, 그는 정체를 알 수 없는 공포와 두려움이 자신의 온몸을 휘감고 정신마저 옥죄이는 걸 느꼈던 것이다.

그제야 제갈보운은 알 수 있었다.

'바로 이자가……'

제갈보광과 제갈보령을 죽인 흉수였구나.

꿀꺽.

마른침이 절로 삼켜졌다.

또한 제갈보운은 이제야 담우천이 얼마나 강하고 무서운 실력을 지녔는지 파악할 수 있었다.

'강하다. 그것도 이만저만 강한 게 아니라 가히 그 강함을 잴 수 없을 정도로 강하다. 어쩌면 일초지적(一招之敵)도 되지 못할 수도……'

그를 불태우고 있던 분노와 증오의 불길은 어느새 온데간데없이 사라졌다. 대신 그 자리에는 초조함과 불안함, 두려움과 공포가 밀려들었다.

하지만 담우천의 무서움을 알아차린 건 오직 제갈보운뿐이었다.

"어디서 감히!"

제갈보운의 곁에 서 있던 장로가 격하게 소리치면서 곧장 신형을 날려 담우천에게로 쏘아 갔다.

장로의 두 손에는 수십 년 내력이 실린 화염구가 생성되고 있었다. 장로는 이 일격으로 저 잔악하고 오만한 중년인을 박살 낼 작정인 것이다.

그 광경을 목도한 제갈보운이 저도 모르게 부르짖었다.

"안 돼!"

눈앞이 보이지 않을 정도로 퍼붓는 폭설이, 제갈보운의
안타까운 일갈을 고스란히 삼켜 버렸다.

5장.
여중호걸(女中豪傑)

함박눈이 펑펑 쏟아지고 있었다.
거리에는 오가는 행인이 끊긴 채
오로지 새하얀 눈만이 쉴 새 없이 쌓이고 있었다.
발목까지 쑥쑥 들어가는 것이,
이러다가는 성도부 전체가 눈에 함몰될 것 같았다.

1. 아호(牙戶)

며칠 전에 있었던 변괴로 인해 뒤숭숭하던 성도부는 차츰 안정을 찾고 있었다.

거리에는 다시 행인들로 북적거렸고, 사분오열되었던 흑도방파 사람들은 저마다의 야심을 가지고 새로운 세력을 만들기에 여념이 없었다.

예예 일행이 화평장을 떠난 다음 날, 성도부에는 폭설이 내리기 시작했다.

한 시진이 넘게 내린 폭설로 인해 금세 발목까지 눈이 쌓였다. 시간이 흐르면서 점점 눈발이 가늘어지기는 했지만 좀처럼 그칠 기미를 보이지 않았다.

"지독하게 쏟아지는군."

성에처럼 뿌연 김이 낀 창밖을 내다보며 청수한 도인풍의 늙은이가 중얼거렸다.

"아무래도 오늘은 더 이상 돌아다니기 힘들 것 같네그려."

맞은편에 앉아 있던 키가 작고 호리호리한 몸매의 늙은이가 찻잔을 내려놓으며 말을 받았다.

청수한 도인이 고개를 끄덕였다.

"이렇게 눈이 내리니 어쩔 도리가 없지."

"그럼 이런 싱거운 차 대신 술 한잔 마셔도 되지 않을까?"

"허어. 정말이지 자네는 그 술 끊지 않으면 나중에 크게 후회할 걸세."

"허허. 후회하기에는 너무 나이가 들지 않았을까?"

"뭐, 그것도 그렇군그래."

청수한 노인의 말에 키 작은 늙은이가 점소이를 불렀다.

"죽엽청 두 병하고 오리구이 한 마리를 가져오게."

"네. 빠르게 대령해 올리겠습니다."

주문을 받은 점소이는 부리나케 주방으로 달려갔다.

"쉽지 않은 일이라고는 생각했지만 이렇게까지 오리무중일 줄은 전혀 예상하지 못했네."

키 작은 늙은이가 투덜거리자 청수한 노인도 가볍게 한숨을 쉬며 중얼거렸다.

"그러니까 말이지. 게다가 유령교의 종자들도 전혀 보이지 않고 말이지. 아, 그래도 금룡회라는 고리대금업체가 그 유령교와 관련이 있다는 걸 알아낸 건 꽤 큰 수확이었지?"

"그럼 뭐하겠나? 이미 금룡회는 문을 걸어 잠갔고, 그곳에서 일하던 자들 모두 송두리째 빠져나갔는데."

"하기야."

키 작은 노인은 가볍게 한숨을 내쉬며 말을 이었다.

"그나저나 십삼매라는 여인은 도대체 어디에 처박혀 있는지 그 종적을 전혀 찾을 수 없군그래."

"뭐, 어떻게 하겠는가? 그녀의 행적을 알아 오겠다고 자신만만하게 이야기했으니까 조금 더 시일이 걸리더라도 해결할 수밖에."

"그래야겠지."

키 작은 늙은이는 말을 맺으며 객잔 실내를 두리번거렸다.

바깥 날씨가 춥고 폭설이 쏟아지다 보니 저녁 식사를 하기에 애매한 시간임에도 불구하고 객잔은 사람들로 넘쳐흘렀다. 제법 규모가 큰 객잔이었지만 빈자리가 없을 정도로 붐비고 있었다.

"조금만 늦게 들어왔어도 자리를 잡지 못했을 게야."

키 작은 늙은이가 중얼거릴 때였다. 객잔 문이 열리고 몇 명의 사람들이 빠른 걸음으로 뛰어 들어왔다.

"아휴, 참. 무슨 눈이 하루 종일 내린담?"

맑고 고운 여인의 목소리에 사람들의 시선이 일제히 그곳으로 쏠렸다. 한 명의 여인과 두 명의 사내가 막 어깨와 머리를 털며 대청을 둘러보는 중이었다.

여인을 본 사람들의 눈이 휘둥그레졌다. 미녀 많기로 유명한 성도부에서도 쉽게 찾아볼 수 없는, 육감적이고 관능적인 미인이었던 까닭이었다.

"죄송합니다만 지금 마땅한 자리가 없어서……."

점소이가 쪼르르 달려가 손을 비비며 말할 때였다.

"합석이라도 괜찮다면 여기 자리가 있소."

구석진 곳에 앉아 있던 사내들 중 한 명이 크게 말했다. 그러자 다른 탁자의 사내들도 중구난방 떠들기 시작했다.

"바로 화톳불 곁이라 이곳이 더 따듯하다오."

"밖의 풍광을 보기에는 이곳이 최적이지. 아, 식대는 우리가 계산하겠소!"

여인에게는 두 명의 남자 동료들이 있었음에도 불구하고 그녀의 외모에 혹한 사내들은 앞을 다퉈 가며 그렇게 소리쳤다.

여인은 그런 반응이 싫지 않다는 듯이 생글생글 웃으며 주위를 둘러보다가 문득 두 노인이 앉아 있는 창가 자리에 시선을 고정시켰다.

"저분들과 합석하고 싶은데 괜찮겠냐고 여쭤봐라."

여인은 아주 자연스럽게 점소이에게 명령했다.

점소이는 곧장 노인들에게 다가가 물었고, 청수한 노인이 무심한 어조로 말했다.

"상관없네."

키 작은 노인이 웃으며 말했다.

"이왕이면 젊고 잘생긴 사내들이 있는 자리를 택하지, 하필이면 우리 같은 늙은이들과 합석하려 하누?"

여인은 귀가 밝은 듯 그 소리를 듣고 활짝 웃으며 말했다.

"제가 원래 연상을 좋아하거든요."

"허허. 연상이라고 하기에는 너무 나이가 많지 않을까?"

"상관없어요."

여인은 곧장 창가로 다가왔다. 키 작은 노인이 자리에서 일어나 청수한 노인 곁에 앉았고, 여인과 두 명의 중년인이 맞은편 자리에 착석했다.

"합석하게 해 주셔서 고맙습니다."

여인은 환한 미소를 지으며 말했다. 청수한 노인이 손

을 저었다.

"별일도 아니니 굳이 그렇게 예를 갖출 필요 없소이
다."

마침 점소이가 오리구이와 두 병의 죽엽청을 들고 왔
다.

여인은 점소이에게 삶은 돼지고기 두 근과 역시 죽엽청
두 병을 주문했다. 그런 다음 다시 두 노인을 돌아보며
말했다.

"이렇게 한자리에 앉게 된 것도 인연인데, 저는 아란이
라고 해요. 그리고 이쪽 두 사람은 제 하인들이고요."

키 작은 노인이 웃으며 말했다.

"알고 보니 아란 아가씨였구려. 그런데 일개 하인들이
라고 하기에는 상당한 무공을 익힌 것 같은데?"

아란도 웃으며 말했다.

"하인 겸 호위 무사라고나 할까요?"

"호오, 호위 무사까지 대동하고 다닐 정도라면 결코 평
범한 분은 아니겠구려."

"평범해요. 단지 요즘 성도부가 하도 시끄럽고 변괴가
많아서…… 혹시나 하고 함께 다니는 거예요."

"그렇소?"

"그런데 두 분 어르신들은?"

"허허. 그저 늘그막에 세상 구경을 나선 늙은이들이라

오. 엊그제 성도부에 도착해서 이곳저곳 구경하던 참이오. 아, '나는 오(吳) 늙은이고, 이 친구는 민(閔) 늙은이라고 부르면 되겠소."

"오 노야, 민 노야셨군요. 앞으로 많은 하교(下敎) 부탁드려요."

"가르침은 우리가 받아야 할 것 같소이다만…… 그건 그렇고 이렇게 폭설이 쏟아지는데 어디를 그리 급하게 다녀오는 길이시오?"

아란은 새하얀 이를 드러내며 활짝 웃었다.

"요즘 제가 사업을 할까 해서요."

"호오, 이제 보니 상가(商家) 쪽 사람이셨나 보오?"

"그렇게까지 거창한 신분은 아니에요. 그저 은자 몇 푼 벌어 보겠다고 아등바등하는 거죠."

"원래 다들 그렇게 사는 법이라오."

키 작은 노인이 그렇게 말했을 때 점소이가 삶은 돼지고기와 술을 가져왔다.

노인들과 아란 일행은 서로 술을 따르고 권했다.

다섯 사람이 앉았지만 주로 이야기를 나누는 건 아란과 키 작은 노인, 오 노야였고 다른 세 사람은 묵묵히 술을 마시고 고기를 먹었다.

사실 아란은 정보 조직을 만들기 위해 요 근래 성도부 일대를 정신없이 헤집고 다니는 중이었다.

물론 다른 모든 조직들도 마찬가지겠지만, 정보 조직에 있어서 가장 중요한 건 사람이었다. 정보를 사고파는 조직의 특성상, 처음부터 끝까지 어떤 사람들을 데리고 일을 하느냐가 성패(成敗)를 갈랐다.

성도부의 경우에는 십삼매의 황계가 거의 모든 정보를 독점하고 있다시피 했다.

하지만 그런 와중에도 개인적으로 정보를 사고파는 이들이 있었으니, 그들을 가리켜 아호(牙戶)라 불렀다.

아호는 거간꾼과 비슷한 부류의 직업을 뜻한다. 매매자 사이에 끼어서 중개하고 협상하여 상담이 이뤄지게 만들거나 혹은 필요한 구매자나 판매자를 찾아 서로를 이어주는 대가로 수수료를 받는 직업이 거간꾼이고 또 아호였다.

하지만 아호의 경우에는 일반 거간꾼들과 달리 무형의 물건, 그러니까 정보나 소문, 비밀 같은 것도 거래한다는 점에 그 특징이 있었다.

아란은 바로 그 아호들을 중점적으로 노렸다.

그녀는 성도부의 아호들을 찾아다니며 새로운 정보 조직에 대한 필요성을 역설했다. 또한 조직에 속해 있어야 아호들이 안전을 보장받고 마음껏 활동할 수 있다는 부분을 강조했다.

하지만 아호들은 그리 내켜 하지 않았다.

아호들 대부분, 홀로 자유롭게 움직이고 자기 멋대로 살아가는 게 좋아서 여태 황계나 흑방 같은 거대 조직의 일원이 되기를 거부했던 사람들이었다.

그러니 이제 와서 굳이 새로운 조직의 일원이 되고자 할 리가 없었다. 아니, 만에 하나 조직에 몸을 담게 된다면 신생 방파가 아닌 황계나 흑방을 찾는 게 현실적이기도 했다.

하지만 아란은 끈질겼다.

황계나 흑방 같은 거대 조직이 일개 정보꾼들을 얼마나 대수롭지 않게 여기는지, 자신의 예를 들어 가며 설명했다.

거대 조직의 일원은 일개 소모품에 지나지 않는다. 하지만 신생 조직의 일원은 그 한 명 한 명 모두 조직의 가족이자 주인이 되는 것이다, 라는 식으로 아호들을 설득했다.

하지만 그녀가 가장 강조한 대목은 따로 있었다. 그건 바로 돈이었다.

신생 조직일수록, 그리고 인원이 적을수록 조직이 얻는 수익에 대한 지분이 상대적으로 크다. 또한 거대 조직보다 훨씬 더 수월하게 보다 높은 자리로 오를 수가 있다.

그리고 높은 자리는 곧 돈과 직결되니, 돈을 벌 생각이라면 당연히 신생 조직의 일원이 되는 게 옳다는 게 그녀의 주장이었다.

결국 아호들 중 몇몇이 그녀의 설득에 흔들렸고, 아란은 마침내 그중 가장 거물이라 할 수 있는 아호를 자신의 편으로 끌어들이는 데 성공했다.

또한 그녀는 무적가에 의해 흑룡방 등 흑도방파들이 궤멸한 부분도 세심하게 살폈다. 그녀는 사분오열될 흑방들의 생존자들 중 나름대로 인망이 있거나 세간의 평가가 좋은 자들을 찾아가 그들을 영입했다.

아란은 그들을 만나면서 자신의 뒤에 강만리가 있다는 사실을 은근슬쩍 내비쳤다. 또한 상황에 따라, 혹은 사람에 따라서 흑룡방주 고굉의 이름도 슬쩍 입에 올렸다.

적어도 이곳 성도부에서는 좋은 쪽이든 나쁜 쪽이든 강만리와 고굉을 모르는 자가 단 한 명도 없었다.

아란이 만난 흑방 사람들 중 그들의 이름을 듣자마자 이를 가는 자가 절반은 되었다. 하지만 나머지 절반은 그들의 이름을 듣자마자 바로 아란의 조직에 합류하겠다고 나섰다.

그렇게 해서 나름대로 성과를 거두고 돌아오는 길에 아란은 잠시 폭설을 피하고자 인근 객잔으로 뛰어 들어왔다. 옷과 머리를 털면서 객잔 대청을 두리번거리던 그녀의 시선에 두 명의 노인이 보였다.

'평범한 늙은이들이 아닌데?'

아란의 눈빛이 반짝였다.

평범한 성도부 백성들로 가득 찬 객잔 대청에서 유난히 눈에 띄는 두 노인. 한눈에 보더라도 심상치 않아 보이는 기세를 뿜어내고 있는 노인들이었다.

아란은 곧바로 점소이를 불러 말했다.

"저분들과 합석하고 싶은데 괜찮겠냐고 여쭤봐라."

2. 동상이몽(同床異夢)

의외로 아란과 오 노야는 죽이 잘 맞았다.

이야기는 끊이지 않았고, 화제도 멈추지 않았다. 성도부의 구경거리에서부터 사람들 살아가는 이야기까지, 두 사람의 대화는 쉬지 않고 이어졌다.

그렇게 권커니 잣거니 하며 이야기를 나누는 동안 네 병의 죽엽청은 금세 비워졌다.

"허어, 벌써 술이 다 떨어졌군그래. 역시 마음에 맞는 사람과 술잔을 나누니 금세 술병을 비우게 되는구먼."

"맞아요. 게다가 취하지도 않고요."

"그러니까 말일세."

어느덧 오 노야는 자연스럽게 말을 놓고 있었으며, 아란 또한 동네 할아버지를 대하듯 스스럼없이 이야기하고 있었다.

"그럼 몇 병 더 주문할까요?"

아란이 점소이를 찾으려는 찰나, 민 노야라는 청수한 노인이 그녀를 제지했다.

"이미 많이 마셨소."

"괜찮아요."

"괜찮다고는 하지만 혀가 꼬이는 것 같은데?"

"그럴 리가요?"

아란이 까르르 웃었다.

죽엽청은 상당히 값비싼 술이었으며, 또 어지간한 사내들은 두어 잔 마시는 것만으로 머리가 핑 돌고 얼굴이 새빨갛게 달아오를 정도로 독한 술이었다.

그런 죽엽청을 혼자서 거의 두 병 가까이 마셨으니 취하지 않을 리가 없었다. 확실히 아란의 혀는 꼬였고 눈동자는 풀렸으며, 간드러지는 목소리는 주변 사람들이 다 들을 수 있을 정도로 높아진 상태였다.

"그만하셔도 되겠습니다, 아가씨."

아란의 심복 중 한 명인 백 조장이 조심스레 참견했다.

그에 아란이 살짝 눈을 흘기고는 다시 오 노야를 바라보며 말했다.

"아휴, 참. 오래간만에 즐겁게 마시는데 주변에서 만류하는 사람들이 너무 많네요."

오 노야도 아쉽다는 듯이 말했다.

"그러게나 말일세. 이렇게 마음이 통하는 사람은 실로 오랜만인데 말이지."

그러자 민 노야와 백 조장이 동시에 말했다.

"사람들도 많은데 자네가 실수할 것 같아서 그러는 게야."

"사람들도 많은데 아가씨께서 실수하실 것 같아서 그러는 겁니다."

'응?'

두 사람은 움찔 놀라며 서로를 쳐다보았다. 어쩌면 진짜로 마음이 통하고 죽이 맞는 사람은 그들 두 사람이 아닐까 싶을 정도로 똑같은 이야기를 동시에 내뱉었던 것이다.

하지만 술에 취한 아란은 전혀 신경 쓰지 않고 자신의 할 말만 계속했다.

"음, 하기야 여기는 너무 시끄럽고 냄새가 나기는 해요."

"그렇군. 임자처럼 아름다운 여인이 오래 머물기에는 좀 그렇지?"

"어머, 정말 말씀도 잘하신다니까. 그래요. 아예 자리를 옮겨서 술을 더 마시는 건 어떨까요? 술에 취해도 누가 뭐라 할 사람도 없고, 이렇게 시끄럽지도 냄새나지도 않는 곳으로 말이에요."

"호오, 그런 주루가 있소?"

"아니, 주루가 아니에요."

아란은 탁자 앞으로 몸을 내밀며 은근한 표정을 지었다.

"우리 집으로 가서 마셔요."

그녀의 말을 넙죽 넙죽 잘 받아 주던 오 노야도 이번만큼은 꽤 놀란 모양이었다.

"웅? 임자 집으로?"

백 조장도 깜짝 놀라며 다급하게 말했다.

"아가씨."

그는 행여 두 노인이 눈치챌세라 곁눈질을 하면서 낮은 목소리로 소곤거리듯 말했다.

"먼저 장주께 허락을 받아야 하지 않겠습니까?"

아란은 웃으며 고개를 저었다.

"괜찮아. 오라버니는 내게 맡겨 둬."

그러고는 두 노인을 번갈아 바라보며 애교를 부리듯 말을 이었다.

"어때요? 우리 집에서 한잔 더해요. 제법 솜씨 좋은 숙수도 있다고요."

"허허, 말은 고마우나 그렇게까지 폐를 끼칠 수는 없……."

오 노야가 웃으며 거절하려 했다. 그때, 민 노야가 그의 말을 자르며 나섰다.

"그래 주신다면 영광으로 받아들이겠소."

'응?'

이번에는 오 노야가 눈을 휘둥그레 뜨며 청수한 노인을 돌아보았다.

'아니, 왜 또 갑자기?'

지금껏 오 노야가 아란과 함께 어울리며 술을 마시는 걸 못마땅하게 바라보던 그가 왜 갑자기 마음을 바꿔 그녀의 제안을 받아들인 것인지 알 수가 없었던 것이다.

"정말이요?"

아란은 기뻐하며 손뼉을 쳤다.

"아, 좋아라. 그럼 제가 얼른 계산을……."

"그건 아니오. 계산은 당연히 우리가 해야지."

민 노야가 자리에서 일어나며 말했다.

"잠시 기다리시오. 계산을 하고 돌아오리다."

말을 마친 민 노야는 곧바로 계산대로 향했다.

"아, 잠깐만 기다리게."

오 노야도 허둥지둥 따라 일어나 그를 쫓았다. 오 노야는 황급히 민 노야를 따라붙으며 나지막하게 물었다.

"왜 갑자기 마음이 바뀌었는데?"

민 노야는 침착한 어조로 소곤거렸다.

"저 아란이라는 여인, 어떤 인물인 것 같나?"

"글쎄. 자기 입으로 장사꾼이라고 하기는 했지만 사실 그건 믿을 수 없고."

오 노야는 민 노야가 계산을 하는 모습을 지켜보면서 계속해서 중얼거렸다.

"하인들이라는 자들의 자세나 움직임, 기운으로 보건대 제법 녹록하지 않은 실력일 가진 것 같고……. 그녀 또한 적지 않은 무공을 익힌 것 같으니까 아무래도 역시 무림인이겠지?"

"어쩌면 흑도의 인물일 가능성이 매우 높다고 생각하네."

민 노야는 거스름돈을 받아 챙기며 말했다.

"그런 흑도의 인물이 허락을 맡아야 하는 장주라면…… 최소한 일개 방파의 주인 정도는 되지 않을까?"

"장주? 아…… 아란이 오라버니라고 했던?"

"그렇다네. 그 장주를 만나 대화를 나누다 되면 우리가 얻을 수 있는 정보가 전혀 없지는 않을 것 같아서 말일세. 가령 십삼매나 유령교의 행방 같은 것들 말이네."

"호오, 그렇군. 자네, 정말 대단하이."

오 노야는 감탄하며 말했다.

"장주라는 말 한 마디에 거기까지 생각했다니 말일세."

"어쨌든 우리는 세상 구경하러 나선 촌 늙은이라는 설

정을 잊지 말고."

"물론이네. 자, 그럼 그 장주를 만나러 가 볼까?"

두 노인이 그런 대화를 나누는 동안 백 조장과 아란도 심각한 표정으로 이야기를 하고 있었다.

백 조장이 계산대 쪽을 힐끔거리며 말했다.

"아니, 왜 갑자기 화평장으로 저 두 노인을 초대하는 겁니까? 강 장주께서 탐탁지 않게 여기실 게 분명한데요."

"무슨 소리야?"

아란은 언제 술에 취했냐는 듯이 말짱한 표정과 목소리로 말했다.

"오라버니는 외려 더 좋아할 거야."

"왜요? 늙은 술꾼 두 명을 데리고 와서요?"

"그래서 아직 너는 사람 볼 줄 모른다는 거야."

아란도 계산대 앞의 두 노인을 힐끗 쳐다보며 말을 이었다.

"저 두 노인, 그저 평범한 시골 촌 늙은이라고 생각해?"

"아, 그야……."

"자고로 정보를 다루는 사람이라면 누구보다도 상대의 말투나 눈빛, 자세나 풍기는 기운, 그런 걸 빠르게 읽어서 상대의 신분, 의도 등을 정확하게 파악해 낼 줄 알아야 하거든. 그런 의미에서 내가 바라본 저 두 늙은이는 어쩌면 붕방의 노기인들일지 몰라."

일순 백 조장의 눈이 휘둥그레졌다.

"붕방이요?"

"그래. 늘그막에 세상 구경하겠다고 나온 시골 노인네라고 소개했지? 어디서 많이 듣던 소리 같지 않아? 바로 유 사부가 군악, 예추에게 했다는 그 말과 똑같아."

"으음."

백 조장은 힐끗 두 노인을 바라보았다.

마침 두 노인은 계산대 앞에서 거스름돈을 받아 들며 뭔가 두런두런 대화를 나누던 중이었다.

확실히 그 고고한 모습이나 우아할 정도로 균형이 잘 잡힌 자세를 보자면 백 조장의 능력으로는 도저히 판단할 수 없는 절정의 고수일 가능성이 높았다. 최소한 백 조장보다는 몇 배는 더 뛰어난 무위를 지니고 있을 게 분명했다.

하지만 그렇다고 저들이 진짜 붕방의 노기인들일까 하는 건 또 다른 문제였다. 강호에 그 이름과 명성을 숨기고 살아가는 기인들이 얼마나 많은가. 또 자신들이 알지 못하는 고수들 또한 얼마나 많은가.

아란은 마치 그런 백 조장의 의문을 알아차렸다는 듯이 말을 이었다.

"뭐 붕방의 기인이 아니더라도 상관없어. 어쨌든 저만한 고수들은 쉽게 만날 수가 없으니까…… 최대한 구슬리고 설득해서 내 편으로 포섭하고 싶은 거야. 그렇게만 된다면 내가 만들고자 하는 조직의 든든한 버팀목이 되어 주겠지."

아란은 싱긋 웃으며 말을 맺었다.

백 조장은 눈을 휘둥그레 뜬 채 그녀를 쳐다보았다. 그저 술에 취해 괜한 호기를 부린 것이라고 생각했는데 그게 아니었다. 그녀 나름대로 치밀하면서도 원대한 계획을 세우고 있었던 것이다.

'역시…….'

백 조장은 술잔을 들어 남아 있던 술을 단숨에 들이켰다.

'여중호걸(女中豪傑)이 되실 분이다.'

3. 전음술(傳音術)

"하필이면 내가 성도부로 들어서는 날 눈이 내리다니, 길조인지 흉조인지 모르겠구나."

정유는 삿갓을 들어 하늘을 올려다보았다.

함박눈이 펑펑 쏟아지고 있었다. 거리에는 오가는 행인

이 끊긴 채 오로지 새하얀 눈만이 쉴 새 없이 쌓이고 있었다. 발목까지 쑥쑥 들어가는 것이, 이러다가는 성도부 전체가 눈에 함몰될 것 같았다.

정유는 삿갓을 고쳐 맨 후 다시 걸음을 옮겼다. 태극천맹에서 휴가를 받은 후 부지런히 달려온 성도부였다. 목표는 당연히 화평장. 그는 눈발을 뚫고 북쪽으로 걸음을 옮겼다.

화평장도 눈에 뒤덮여 있었다. 대문 지붕과 담벼락에는 벌써 사 촌가량의 눈이 쌓여 있었다. 두툼한 솜옷을 걸쳤지만 그래도 파고드는 추위에 몸을 벌벌 떨고 있던 수문 위사들이 정유를 보고는 알은척을 하며 고개를 숙였다.

"오랜만입니다, 정 공자."

정유는 품에서 은자를 꺼내 그들에게 건네며 말했다.

"추운데 고생하네. 이걸로 따듯한 술이나 데워 마시게."

"아이구, 뭘 이런 걸 다 주시고 그러십니까?"

위사들은 입을 함지박 만하게 찢으며 은자를 받아 쥐었다. 그러고는 내당에 소식을 전하겠다면서 위사 한 명이 부리나케 장원 안으로 들어갔다.

정유는 잠시 기다리는 동안 다른 위사들과 대화를 나눴다.

"별일 없나? 다들 평안하시고?"

위사 한 명이 대답했다.

"별일이 많았습죠. 며칠 전 성도부에서 난리가 난 적이 있었습니다."

"난리?"

정유의 눈빛이 반짝였다.

위사는 신이 난 듯 그날 밤 벌어졌던 사건에 대해서 장황하게 이야기했다. 얼마나 이야기가 길어졌는지 장원 안으로 들어갔던 무사가 다시 돌아왔을 때까지, 채 절반의 이야기도 하지 못할 정도였다.

"그럼 나머지 이야기는 강 장주에게 듣겠네."

정유는 아직 할 이야기가 더 남았다면서 아쉬워하는 위사를 뒤로하고 장원 안으로 들어섰다. 이번에는 내당까지 안내를 맡은 무사가 주절주절 떠들었다.

"지금 장원에는 강 장주 혼자 계십니다. 다들 이런저런 일들로 출타하셨거든요."

"다들? 다른 장주들 모두?"

"어디 장주들뿐입니까? 마님들도 외유 중이십니다."

"허어, 마님들까지? 도대체 무슨 일일까?"

정유는 고개를 갸웃거렸다.

'뭐, 강 형님을 만나서 이야기를 들으면 알게 되겠지.'

그는 서둘러 위정전으로 걸음을 옮겼다.

여전히 위정전 대청 중앙에 놓인 탁자에는 장원의 모형도가 만들어져 있었고, 강만리는 탁자를 짚은 채 그 모형도를 뚫어지게 내려다보고 있었다.

"아, 왔는가? 아우."

문이 열리고 정유가 들어서자 강만리는 환하게 웃으며 그를 반겼다. 정유는 삿갓을 벗으며 정중하게 그에게 인사했다.

"오랜만입니다, 강 형님."

"하하, 잘 왔네."

강만리는 정유에게 다가가 한 번 껴안은 다음 탁자 앞으로 안내했다. 막 자리에 앉으려던 정유는 장원의 모형도를 보며 물었다.

"이게 뭡니까?"

"뭐긴 뭐야, 화평장의 모형도이지."

"아니, 그러니까 이게 왜 여기 있느냐는 겁니다."

"아, 조금 손보고 싶어서."

강만리는 눈을 가늘게 뜨며 말했다.

"지금 이 상태로는 보다 강한 적을 막기 어려울 것 같아서 뭔가 보강하고 싶거든."

"왜 갑자기……."

정유는 문득 수문 위사가 이야기해 주었던 며칠 전의 괴사를 떠올렸다.

그는 단도직입적으로 물었다.

"설마 며칠 전 밤에 있었다는 변고와 관련이 있습니까?"

"음? 자네도 벌써 들었나?"

강만리는 길게 한숨을 쉬며 자리에 앉았다. 그리고 그날 무슨 일이 있었는지, 또 어떻게 상황이 정리되었는지 세세하게 설명했다.

듣고 있던 정유의 안색이 천천히 변했다.

"어쨌든 무적가와 정면으로 부딪치지 않은 채 끝났으니까 다행인 셈인데……. 그래도 이곳에 우리 가족 모두 머물고 있다는 걸 생각하면 계속 불안해져서 말일세. 마음 같아서는 아예 사람들 모르는 곳으로 옮겨 가고 싶은데."

강만리는 문득 어깨를 으쓱거리며 말했다.

"뭐, 아직 시간은 많으니까 말이지. 설마 무적가가 또 쳐들어오지는 않을 것 아닌가?"

"그게……."

정유가 머뭇거렸다. 강만리는 조그만 눈을 동그랗게 뜨며 물었다.

"왜?"

"그러니까 그게……."

정유는 자신이 급하게 휴가를 받고 부리나케 이곳으로

달려온 이유에 대해서 입을 열었다.

"철목가의 가주 정극신이 정예 오백 명을 이끌고 이곳 사천을 향해 달려오는 중입니다."

강만리의 눈이 휘둥그레졌다.

"응? 철목가가?"

* * *

"손님이 오셨어요?"

아란이 눈을 동그랗게 뜨며 물었다. 수문 위사는 살짝 얼굴을 붉히며 대답했다.

"네, 일각 전에 정 공자님께서 오셨습니다."

"정 공자라면 그 정유 말이에요?"

"네."

"호오, 무슨 일이래?"

아란은 다른 수문 위사가 보고하러 간 시간 동안 대문 앞에서 기다리며 수문 위사들과 이야기를 나누는 중이었다.

그녀의 뒤에는 두 명의 심복과 두 명의 노인이 있었는데, 노인들은 장원이 생각보다 크다는 사실에 살짝 놀란 듯한 얼굴이었다.

'그것 보게. 분명 이곳 성도부의 흑도방파 중 하나일 거

라고 하지 않았나?'

민 노야의 눈짓에 오 노야가 고개를 끄덕였다.

'흑도방파가 아니더라도 성도부의 유지(有志)인 것만큼
은 확실한 것 같네.'

장원의 크기도 크기이지만, 정문을 지키고 있는 수문
위사나 그들의 행동을 보면 이 장원이 어떤 곳인지 대충
짐작할 수 있었다.

노인들이 보기에 이 장원의 수문 위사들은 제법 강단
있는 몸매에 안정된 자세를 지니고 있었다. 뒷골목의 하
오문 문도나 조그만 흑도방파의 무인들에 비하자면 상당
한 실력을 지닌 고수들 같았다.

또 장주를 '오라버니'라고 부르는 아란임에도 불구하고
함부로 장원 안에 들여보내지 않는다는 것은 그만큼 이
수문 위사들의 규율이 엄격하고 장원의 기강이 제대로
잡혀 있다는 의미이기도 했다.

이윽고 보고하러 들어갔던 수문 위사가 다시 나왔다.

"들어오시죠, 아란 아가씨."

"고마워."

아란과 사람들은 위사를 따라 장원 안으로 들어갔다.

민 노야와 오 노야는 장원 곳곳을 둘러보았다. 일반 장
원에서는 볼 수 없는 높은 망루가 동서남북, 네 곳에 우
뚝 서 있었다. 장원의 건물들은 단아하면서도 우아했고,

장원 내부도 깔끔하게 단장되어 있었다.

'흠, 이것 봐라?'

키 작은 오 노야의 눈썹이 꿈틀거렸다. 그의 날카로운 눈빛이 폭설로 뒤덮인 장원 곳곳을 샅샅이 훑었다.

민 노야가 그걸 보고는 뭔가 알아차린 듯 낮은 목소리로 물었다.

"왜?"

오 노야는 나지막한 목소리로 중얼거렸다.

"곳곳에 무사들이 숨어서 우리를 지켜보고 있네. 상당한 실력자들일세."

"흠, 역시 평범한 장원은 아니라니까."

"그뿐만이 아니네. 모르기는 몰라도 장원 여기저기 함정이 준비되어 있는 것 같네."

"함정까지?"

"그렇다네. 아무래도 이곳…… 뭔가 조금 수상쩍네."

오 노야의 말에 민 노야는 고개를 끄덕이며 느긋한 표정으로 주변을 둘러보았다.

그러는 가운데 그들 일행은 넓은 앞마당을 지나 위정전에 당도했다. 위정전을 지키고 있는 무사들이 아란을 향해 허리를 숙였다.

"기다리고 계십니다."

"수고하네요."

아란도 인사를 하며 위정전으로 들어섰다.

대청에는 두 명의 사내가 앉아 있었다. 중앙의 탁자에는 어느새 장원의 모형도가 사라졌고, 대신 술과 음식들이 준비되어 있었다.

사내들은 아란과 두 노인이 들어서자 자리에서 일어나며 그들을 맞이했다.

"어서들 오시오."

아란이 활짝 웃으며 말했다.

"다녀왔어요, 강 오라버니. 아, 정 공자도 계시네요."

정유가 손을 모으며 인사했다.

"오랜만입니다, 아란 소저."

"이쪽은 민 노야, 오 노야라고 해요."

아란은 두 노인을 소개했다.

"민 늙은이라고 하오."

"오 늙은이요."

노인들이 정중하게 인사했고 강만리와 정유도 인사를 받았다.

"강만리입니다. 잘 오셨습니다."

"정유라고 합니다."

그렇게 간단한 인사를 나눈 후 사람들은 각자 자리에 앉았다.

강만리가 눈짓을 하자 시녀들이 술잔에 술을 따라 준

후 밖으로 나갔다. 이제 대청에는 다섯 명의 사람들만 남았다. 강만리가 웃으며 입을 열었다.

"두 분 어르신을 환영하는 의미로 먼저 석 잔의 술을 마시겠습니다."

강만리는 연거푸 석 잔의 술을 마셨다. 그러자 오 노야가 따라서 석 잔의 술을 마셨고, 아란과 민 노야가 그 뒤를 이어 석 잔씩 술을 마셨다.

"술을 마시지 않으면 안 되는 분위기네요."

정유도 웃으며 석 잔의 술을 연거푸 마셨다.

그렇게 몇 순배 술잔이 도는 동안 두 노인은 강만리와 정유를 살펴보았다.

-강 장주라는 인물, 상당한 내공을 지닌 것 같네.

-정유라는 친구는 함부로 무시할 수 없는 무위를 지닌 것 같아. 어쩌면 우리에 비해서도 결코 뒤떨어지지 않은 것 같으이.

그렇게 전음을 나누는 그들의 눈빛이 심상치 않았다. 생각보다 훨씬 더 강하고 크게 느껴지는 강만리와 정유의 모습에 상당히 놀란 모습이 역력했다.

-이거…… 이무기인 줄 알았는데 알고 보니 잠룡(潛龍)이 숨어 있는 곳인가 보네.

-그러게 말일세. 아무래도 우리가 월척을 낚은 것 같으이.

－조심해야 하네. 이들의 정체를 알지 못하는 이상 결코 우리의 신분이 먼저 들통나는 일은 없어야 할 것이네.

　－물론이지.

　두 사람이 전음을 나누는 동안 강만리는 묘한 눈빛으로 그들을 지켜보았다.

　'전음을 나누는 것 같군.'

　강만리는 그들의 입술이 살짝 들썩거리는 걸 놓치지 않았다. 또 그게 일반적인 전음술을 펼칠 때 나타나는 특징 중 하나라는 걸 잘 알고 있었다.

　'전음술을 펼치는 정체불명의 노인들이라…….'

　강만리는 아란이 꽤 처치 곤란한 문제를 가지고 왔다는 생각이 들었다.

　'가뜩이나 골치 아픈 일이 산적한 상황인데 말이지.'

　문득 엉덩이가 근질거렸다.

6장.
거짓말과 착각

정유는 빙긋 웃으며 말했다.
"이래서 세상일이라는 게 참 재미있다니까요."
"재미있을 것도 많다."
강만리는 입을 삐죽이며 말했다.
"어쨌든 담 형님이 없는 상황이니만큼
그들 두 노인은 정유 네가 알아서 맡아."

1. 무림의 비사(秘事)

상대방에게 직접 말을 건네지 않고서, 진기를 이용하여 자신이 하고 싶은 말을 전하는 기법을 전음술, 혹은 전음 입밀이라고 한다.

전음술은 상승 무공이 아니었다. 하지만 익히고 수련하여 완벽하게 터득하기가 꽤 까다로운 무공이었다.

그런 까닭에 내공의 고수들이지만 전음술을 펼치지 못하는 이들이 있기도 했고, 내공이 그리 많지 않더라도 마음대로 전음술을 펼치는 이들도 있었다.

사실 전음술의 요령은 간단했다.

발출한 기파(氣波)를 음파(音波)로 바꿔 상대방의 고막까지 전달하면 되는 것이다.

하지만 그 과정이 생각보다 훨씬 까다롭고 복잡했으니, 그 편리함과 실용성에 비해 전음술을 펼치는 자가 드문 이유가 바로 거기에 있었다.

전음술은 그 수준과 방식에 따라 여러 가지로 나뉘는데, 마구잡이로 음파를 뿌려서 주변의 모든 사람이 들을 수 있게 하는 의어전성(蟻語傳聲)이 가장 하급의 전음술이라 할 수 있었다.

그리고 개인을 지정하여 전음을 보내는 기법을 전음입밀이라 하며, 일반적인 전음술 하면 바로 이 기법을 의미한다.

그보다 조금 더 고급 수법으로는 상대가 멀리 떨어져 있어도 전음을 보낼 수 있는 천리전음(千里傳音)이 있고, 어디에서 전음이 들려오는지 알 수 없게 만드는 육합전성(六合傳聲)이 있으며, 음파를 상대의 귀로 보내는 게 아니라 직접 머릿속으로 집어넣는 혜광심어(慧光心語) 등이 있었다.

* * *

강만리는 머리가 빠개질 것만 같았다.

안 그래도 해결해야 하거나 진행해야 할 일들이 산적해

있었다.

　장원의 경비를 강화하는 것부터 시작하여 무적가의 뒤를 쫓는 담우천과 장예추에 대한 걱정, 화군악과 설벽린은 또 제대로 일을 하고 있는지, 그리고 엊그제 사천당문으로 향한 예예와 여인들에 대한 걱정 등 기존의 문제들만으로도 정신이 복잡하고 사나운 상태였다.

　그런데 정유가 불쑥 찾아와 느닷없이 철목가의 가주가 오백의 병력을 이끌고 이곳으로 달려오는 중이라고 말했다.

　물론 이유는 뻔했다.

　먼저 철혈대가 실종되었고, 그 철혈대를 찾기 위해 광철단이 나섰으나 역시 그들 모두 연락이 끊겼다. 그래서 아예 이번에는 가주 정극신이 직접 그들을 찾아 나선 것이리라.

　"젠장."

　강만리는 혀를 찼다.

　정유가 그의 눈치를 살피며 조심스레 입을 열었다.

　"혹시 광철단의 실종이 형님과 관계있는 일입니까?"

　강만리는 잠시 망설였다. 사실대로 말해야 할지, 거짓말을 해야 할지 갈피를 잡을 수가 없었다.

　어쨌든 정유는 태극천맹의 인물이었다. 비록 태극천맹과 오대가문이 척을 지고, 또 결국 그들이 반목하여 패권

다툼을 하게 될지언정 어쨌든 지금의 오대가문은 태극천맹의 일부분이었고 한 식구였으니까.

"사실대로 이야기하자면 꽤 길어진다네."

강만리는 길게 한숨을 쉬다가 고개를 끄덕이며 입을 열었다.

"그러니까 어디서부터 이야기를 해야 할지 모르겠지만…… 우선 철혈대부터 시작하는 게 맞을 것 같군."

강만리는 어떻게 해서 장예추와 화군악이 철혈대와 시비가 붙었는지부터 시작하여 그들을 몰살시킨 이야기, 그리고 그들을 찾아 나선 광철단까지 전원 몰살시킨 이야기를 세세하게 설명했다.

정유가 깜짝 놀라 물었다.

"광철단주 추경광과 단원 백오십 명을 모두 몰살시켰다고요?"

"아니, 그러니까 그게 말이지……."

정유의 눈이 휘둥그레지는 가운데 강만리의 설명은 무적가로 옮겨 갔다.

"사실 무적가가 아니었더라면 그렇게 몰살시키기 힘들었을 거야."

"무적가라니요? 그들과 손을 잡았던 겁니까?"

"아니, 그건 또 아닌데……."

강만리는 엉덩이를 긁으며 한숨을 내쉬었다.

"조금 이야기가 복잡해지는데 사실 애당초 무적가와도 그와 비슷한 일이 있었거든."

십삼매와 담우천의 행적을 쫓아온 제갈충렬을 해치우자, 이번에는 제갈충렬의 행방을 뒤쫓아 제갈충인과 제갈충무가 적잖은 인원을 이끌고 성도부를 찾았다.

공교롭게도 그들은 한날한시 광철단과 함께 화평장을 기습했는데, 서로를 적으로 오인하고 한바탕 크게 싸우다가 전력 대부분을 잃게 되었다.

결국 강만리 일행이 한 건 그 싸움에서 살아남은 자들을 처리하는 일이었다.

"그러니까 따지고 보면 어부지리(漁父之利)라고 할 수 있겠다. 아니면 무적가와 광철단이 양패구상(兩敗俱傷)한 가운데 우리가 매조지한 거고."

강만리의 말에 정유는 혀를 내둘렀다.

"하지만 결국 광철단주 같은 고수들은 형님들이 상대한 거 아닙니까?"

"뭐, 그야 우리에게는 담 형님이 있으니까."

"으음."

담우천.

정유는 입술을 깨물었다.

같은 편이라는 입장에서 생각한다면 담우천보다 믿음직한 동료는 없을 것이다. 무위, 경험, 눈썰미 모든 것이

최고의 수준에 오른 인물이니까.

반면 무인의 입장에서 보자면 담우천은 반드시 한 번 부딪쳐 보고 싶은, 그런 호승심을 절로 일으키게 만드는 인물이었다.

'담 형님이 그 광철단주를 해치웠단 말이지?'

정유가 그런 생각을 할 때였다.

"그렇게 상황이 정리될 줄 알았는데…….."

강만리의 설명은 게서 끝나지 않았다.

"이번에는 무적가 측에서 대대적으로, 오백 명의 인원을 동원하여 성도부를 찾아왔지 뭐냐?"

"아!"

정유가 뒤늦게 알았다는 표정을 지으며 말했다.

"며칠 전 있었다는 성도부의 변괴가 바로 그 일이었습니까?"

"그래."

강만리는 머쓱한 표정을 지으며 고개를 끄덕였다.

"십삼매와 우리를 찾기 위해 성도부를 쑥밭으로 만들었거든.

"왜 그들이 형님을……?"

의아해하며 중얼거리던 정유의 눈빛이 일순 달라졌다. 그는 설마 하는 표정을 지으면서 강만리에게 물었다.

"혹시 그들과도 싸운 적이 있는 겁니까?"

강만리는 난처하다는 얼굴로 고개를 끄덕였다.

"그렇다네."

"언제 그들과…… 아!"

정유는 그제야 깨달은 바가 있다는 듯이 탄성을 내질렀다. 그의 얼굴에 믿을 수 없다는 불신의 기색이 역력하게 스며들었다.

"그러니까 무적가 가주 제갈보국과 그의 아들을 살해한 흉수가……."

"맞네."

"이런……."

정유는 어처구니없다는 듯 말꼬리를 흐렸다.

"하지만 그건 어디까지나 우리의 잘못이 아니네."

강만리가 재빨리 입을 열었다.

"무적가가 먼저 우리를, 아니 정확하게 말하자면 담 형님을 건드렸으니까."

"담 형님이요? 이번에도 담 형님이십니까?"

"그래. 그들은 담 형수를 납치해서 온갖 못된 짓을 했다네. 담 형님은 대륙을 횡단하며 형수를 찾으려 노력했고, 마침내 무적가 본산에서 그녀를 구할 수가 있었지."

정유의 눈이 휘둥그레졌다.

무림의 비사(秘事), 상상 외의 이야기가 지금 강만리의 입을 통해 흘러나오고 있었다.

강만리는 한숨을 쉬며 말을 이어 나갔다.

"게서 모든 게 끝났다면 그야말로 옛날이야기처럼 누구 하나 다치지 않고 행복하게 오래오래 잘살았다, 라는 식으로 마무리가 되었겠지. 하지만 무적가 놈들은 그런 결말을 원치 않았다네. 자신들의 모든 걸 동원하여 담 형님으로부터 형수를 빼앗으려 했고, 그 와중에 결국 형수는 목숨을 잃었으며 담 형님의 충직한 동료들도 몇 명 죽음을 당했다네."

"이런……."

정유의 입에서는 조금 전과 다른 느낌의 탄식이 새어 나왔다.

"담 형님은 복수를 다짐했고, 십삼매의 도움을 요청했네. 그 고약한 십삼매는 그 복수극에 날 끌어들였고, 젠장. 어쨌든 그렇게 해서 일련의 계획을 세운 끝에 무적가의 가주와 소가주를 죽이고 복수를 할 수 있었지."

강만리는 어떤 식으로 계획을 세우고 진행했는지 간략하게 설명했다. 휘둥그레 뜬 눈으로 강만리를 바라보는 정유의 입은 쉽게 다물어지지 않았다.

"그러니 그 건에 한해서는 우리의 잘못은 하나도 없네. 모든 건 무적가에서 비롯되고 무적가가 자초한 일이라네."

강만리의 이야기가 끝났다.

정유는 그제야 길게 한숨을 내쉬며 입을 다물었다. 그러고는 믿어지지 않는다는 듯이 고개를 설레설레 흔들다가 다시 눈빛을 반짝이며 입을 열었다.

"그럼 며칠 전 무적가에서 보내온 오백여 병력도……형님들께서 모두 해치운 겁니까?"

"뭐, 모두는 아니지만……."

강만리는 어깨를 으쓱거리며 말했다.

"어쨌든 그들을 퇴각시키게는 만들었네."

"오백 명의 무적가 병력을요? 형님들하고 예추, 군악 동생들만으로요?"

"어찌어찌 되더군."

"허어, 거참."

정유는 다시 한번 고개를 저으며 강만리를 바라보았다. 문득 태극천맹의 맹주 정문하가 그에게 했던 말이 떠올랐다.

"자네의 형님 말일세. 자네가 생각하는 것보다 훨씬 더 거물인 것 같군그래. 어쩌면 그로 인해서 무림이 크게 흔들릴 수도 있을 것 같아.

정유의 소개로 정문하와 강만리가 회합을 가진 후, 태극천맹으로 돌아가는 길에 정문하가 넌지시 했던 말이었다.

당시 정유는 속으로 '설마 그 정도는 아닌 것 같습니다.'라고 중얼거렸지만, 어쩌면 정문하의 안목이 정확했던 것인지도 모른다.

강만리와 담우천, 화군악과 장예추, 설벽린까지 포함된 이 다섯 명의 힘만으로 철목가의 광철단을 몰살시켰고, 심지어 무적가의 오백여 병력을 퇴각시켰으니까.

'무림오적이라고 했지, 아마?'

정유는 강만리에게 간략하게 들었던, 십삼매의 원대한 계획에 대해 잠시 생각했다.

다섯 명의 힘으로 오대가문을 무너뜨린다는 얼토당토않은 계획. 어쩌면 그 계획이 가능할지도 모르겠다는 생각이 언뜻 그의 뇌리를 스치고 지나갔다.

그때였다.

대청 밖에서 경비 무사의 목소리가 들려왔다.

"아란 아가씨께서 손님 두 분을 모시고 오셨습니다."

강만리의 표정이 딱딱하게 굳어졌다.

2. 두 명의 노인

가뜩이나 정신 사납고 머리 복잡한 강만리의 입장에서 보자면 미치고 팔딱 뛸 일이었다.

‘왜 다들 일을 저지르지 않고는 못 배기는 거람?’

아란이 데리고 온 정체불명의 두 노인은 놀랍게도 전음술을 펼칠 줄 아는 무림인들이었다.

아란의 저 의기양양한 표정을 보건대, ‘제가 그 붕방의 노기인들로 짐작되는 두 늙은이를 데리고 왔어요.’ 하고 자랑하는 게 분명해 보였다.

‘붕방은 무슨…….’

강만리는 속으로 혀를 끌끌 찼다.

‘누가 네게 그런 것까지 신경 쓰라고 했더냐? 너는 그저 정보 조직이나 만들란 말이다.’

강만리는 그런 속내를 감춘 채 다시 건배를 제안하고 가볍게 술잔을 비웠다. 그런 다음 그는 두 노인을 향해 정중하게 말했다.

“말투를 들어 보건대 이곳 성도부 분들은 아니신 것 같습니다만…….”

키 작은, 오 노야라는 늙은이가 허허 웃으며 말했다.

“원래 하동 사람이오. 이곳 사천에서 산 지 꽤 오래되었는데 아직도 하동 사투리가 남아 있나 보구려.”

“사천이라면 어느 곳에서……?”

“글쎄요. 어느 한 지역을 꼭 집어서 말하기에는 워낙 이곳저곳을 떠돌아다녀서 말이오.”

“그럼 이곳 성도부에서 지내신 적도 있겠군요.”

"그렇소. 이곳에서 이삼 년 동안 지낸 적이 있었다오. 그게 한 십여 년 전의 일이었지, 아마? 그리고 제법 오래간만에 다시 찾아왔는데 예전과 그리 달라진 게 없는 것 같구려."

"하하, 성도부가 워낙 발전이 느린 곳이지 않습니까? 자, 한 잔 더 드시죠."

강만리는 가볍게 웃으며 술을 권했고, 오 노야는 싱글벙글 웃으며 술을 마셨다.

시간이 흐르면서 술자리는 무르익어 갔고 대화는 끊임없이 이어졌다.

오 노야는 유쾌했다. 농담도 잘 했고 입담도 좋아서 술자리의 대화를 주도해 나갔다.

반면 민 노야는 주로 대화를 듣는 편이었다. 그는 청수한 외모답게 침착하고 차분한 표정을 유지한 채 느긋하게 술잔을 비워 나갔다.

이윽고 강만리가 손뼉을 치며 말했다.

"마음 같아서는 밤새도록 술잔을 기울이면서 두 분 어르신의 고견을 듣고 싶지만 내일 또 할 일이 있어서 말입니다. 아쉽게도 오늘 이 자리는 이 정도에서 마무리 지어야 할 것 같습니다."

오 노야가 고개를 끄덕이며 말했다.

"별 볼 일 없는 이 두 늙은이에게 너무 과분한 대접을

해 주셔서 영광이오."

"별말씀을요. 그럼……."

강만리가 작별 인사를 하기 위해 자리에서 막 일어나려던 그때, 아란이 두 노인을 바라보며 얼른 입을 열었다.

"따로 객잔을 잡지 않았으면 이곳에서 며칠 쉬다 가세요."

이런.

강만리가 속으로 눈살을 찌푸릴 때, 아란이 그를 돌아보며 동의를 구했다.

"괜찮죠?"

강만리는 억지로 웃으며 말했다.

"물론이지."

그는 두 노인을 바라보며 말을 이었다.

"아란 말대로 따로 긴한 용무가 없으시다면 이곳에서 며칠 푹 쉬다 가셔도 됩니다."

오 노야가 웃으며 손을 저었다.

"허허, 그렇게까지 폐를 끼칠 수는 없는……."

그때 과묵하게 앉아만 있던 민 노야가 불쑥 입을 열었다.

"강 장주께서 그렇게까지 말씀하시니, 거절하는 것도 예의가 아닌 것 같구려. 그럼 며칠 폐를 끼치겠소이다."

오 노야는 눈을 휘둥그레 뜨며 민 노야를 돌아보았다.

"잘됐네요."

아란이 손뼉을 치며 활짝 웃었다.

"그럼 제가 영빈당(迎賓堂)으로 안내할게요."

아란이 자리에서 일어났다. 오 노야와 민 노야도 자리에서 일어나 강만리와 정유에게 정중하게 인사했다. 곧 그들은 아란의 뒤를 따라 대청을 빠져나갔다.

"이런……."

그들의 모습이 사라지고 문이 닫히자 강만리는 길게 한숨을 내쉬며 털썩 자리에 주저앉았다.

정유가 그 모습을 보고는 희미하게 웃으며 입을 열었다.

"아란이라는 아가씨, 생각보다 훨씬 당차군요."

"당찬 게 아니지, 이건."

강만리는 투덜거렸다.

"앞뒤 가릴 줄 모르고 눈치 볼 줄도 모르고 그저 제 욕심만으로 똘똘 뭉쳐 있을 뿐이야."

"그래도 나름대로는 뭔가 한 건 했다고 으쓱거리고 있는 것 같은데요."

"그게 다 자기만의 착각이라니까."

강만리는 인상을 찡그리며 말했다.

"지금 그녀는 저 두 노인이 붕방의 노기인들일 거라고 생각하고 있다네."

정유가 고개를 갸웃거렸다.

"붕방의 노기인들이요?"

"그래. 실은 내가 군악과 벽린에게 붕방의 노기인들을 찾아보라고 지시를 내렸거든."

"왜요?"

"왜기는. 좀 더 전력을 강화하기 위해서지."

강만리의 무뚝뚝한 대답에 정유의 눈빛이 살짝 빛났다.

"오대가문과 맞서 싸우기 위해서요?"

"그래."

강만리는 어깨를 으쓱거리며 말했다.

"무적가와 철목가와 한 차례씩 부딪쳐 본 결과, 지금 우리들만으로는 오대가문은커녕 두 가문조차 상대할 수 없다는 결론이 나왔거든. 그러니까 우리도 최대한 전력을 높이고 강화해야 하지 않겠어?"

"황계는요?"

"황계는…… 아니, 이제부터라도 황계의 도움은 되도록 받지 않으려고."

"흠."

정유는 잠시 생각하다가 물었다.

"그렇다고 해서 옛 태극천맹의 노기인들을 불러다가 저 오대가문과 싸우게 할 수 있다고 생각하세요?"

"그거야 해 봐야 알겠지."

강만리는 콧잔등을 씰룩거리며 말했다.

"오대가문과 맞서려면 평범한 고수들 가지고는 어림도 없겠지. 최소한 노경, 문경급 고수들 수백 명은 있어야 하는데…… 지금 이 무림에 그만한 세력이 붕방 말고 또 어디 있겠나?"

정유는 웃으며 말했다.

"본 천맹이 있잖습니까?"

"응? 태극천맹?"

"네. 형님도 아시겠지만 맹주께서는 지금 오대가문과 척을 진 상태입니다. 만약 형님께서 적극적으로 원하신다면 맹주께서도 어쩌면……."

"됐어. 그건 넣어 둬."

강만리는 손을 내저으며 말했다.

그러자 정유가 이해할 수 없다는 듯이 고개를 갸웃거렸다.

"왜요? 천맹의 힘이라면 능히 그들과……."

"아니. 됐어."

강만리는 다시 일언지하에 거절했다.

"내가 군이 황계의 도움을 받지 않으려고 하는 건 더 이상 그들에게 빚을 지기 싫어서야. 한 번 빚을 지면 반드시 그 빚을 갚아야 하거든."

"흠."

"태극천맹 역시 마찬가지야. 그들의 도움을 받으면 훗날 우리도 그에 상응한 대가를 내줘야 해. 그게 싫다는 거야. 더 이상 황계나 태극천맹 같은 거대 세력에게 질질 끌려다니기 싫다는 거야."

정유는 진지하게 말했다.

"천맹은 형님께 아무런 대가를 요구하지 않을 겁니다."

"물론 그럴 수도 있겠지."

강만리는 잠시 생각하다가 말을 이었다.

"하지만 내가 싫거든. 태극천맹이 요구를 하지 않더라도 내 스스로 마음의 빚을 지고 있을 거니까. 언제고 반드시 갚아야 한다고 생각하게 될 테니까."

"으음."

정유가 팔짱을 끼었다. 강만리는 남은 술을 따라 한 잔 들이마신 후 화제를 돌렸다.

"그건 그렇고 아까 그 두 노인, 누구인지 알겠나?"

별반 기대 없이 던진 질문이었다. 그저 화제를 돌리기 위해 한마디 꺼냈을 뿐이었다.

그런데 놀랍게도 정유는 고개를 끄덕이며 말했다.

"네. 알 것 같습니다."

"응?"

강만리의 조그만 눈이 휘둥그레졌다.

"진짜? 저 두 노인이 누구인지 알아?"

정유가 웃으며 말했다.

"본 천맹의 정보력을 너무 무시하시는 것 같습니다, 형님. 비록 황계나 흑개방 정도는 아니더라도 그에 버금가는 정보망을 가지고 있는 게 바로 태극천맹이니까요."

그건 사실이었다.

태극천맹은 당금 무림을 지배하는 절대 세력이었다. 그들은 강호 전역에 백팔 개의 지부를 두어 무림을 관장했으며 정보를 수집했다.

또한 따로 태극감찰밀이라는 특수 조직을 운용, 태극천맹 내부의 감찰은 물론 대륙을 종횡하며 정사대전 당시의 잔당들을 추격하는 와중에 얻게 되는 정보 역시 적지 않았다.

정유는 그 모든 정보를 총괄하는 조직의 책임자 중 한 명이었다. 그렇게 정유가 관리하는 정보 중에는 수천, 수만 명의 무림 고수들에 대한 용모파기도 있었다.

정유는 싱긋 웃었다.

"다행스럽게도 제가 외우고 있는 용모파기 중에서 저들과 비슷한 인물들이 있었습니다."

강만리가 마른침을 삼키며 물었다.

"그래서, 누군데?"

"형님도 참."

정유가 살짝 눈을 흘겼다.

"형님도 이미 짐작하고 계시지 않습니까?"

"내가?"

"아닙니까?"

거듭되는 정유의 물음에 강만리는 헛기침을 하며 머쓱한 표정을 지었다.

"그야…… 나름대로 추측한 건 있지만, 그게 정확한 건지 아닌지는 모르니까."

"정확할 겁니다."

정유는 고개를 끄덕이며 말했다.

"다른 건 몰라도 형님의 추론 하나만큼은 저도 인정하고 있으니까요."

'다른 건 몰라도?'

살짝 마뜩찮은 기분이 들었지만 강만리는 어쩔 수 없다는 듯이 정유의 눈치를 살피며 입을 열었다.

"그럼 저들이 무적가의 인물들이 맞나?"

3. 착각

"호오, 역시."

정유는 새삼 감탄한다는 눈초리로 강만리를 바라보며

고개를 끄덕였다.

"맞습니다. 도대체 어떻게 해서 거기까지 생각하셨습니까?"

정유가 새삼스레 놀란 표정을 짓는 걸 보고 강만리는 어깨를 으쓱거리며 말했다.

"우선 그 오 노야의 말에 거짓이 있었으니까."

"거짓이요?"

"그래. 아까 오 노야가 했던 이야기 중에서 십여 년 전 이곳 성도부에서 이삼 년 지낸 적이 있다고 했잖아?"

"음…… 아, 그랬던 것 같네요. 그게 거짓말이라는 겁니까?"

"그래. 거짓말이야."

"어떻게 그리 단정하실 수 있습니까?"

"그때 나는 이곳 성도부의 포두였거든."

"그런데요?"

"내가 모르는 성도부 사람은 단 한 명도 없었고."

"설마요."

"사실이다. 내가 왜 네게 거짓말을 하겠누?"

"정말 모든 사람을 다 알고 있었습니까?"

"그래. 최소한 당시 이곳에서 반년 이상 거주하고 있었다면 결코 내가 모를 리가 없지. 그게 내 검거율이 높은 이유 중 하나이고."

강만리는 당당하게 말했다.

사실 포두 시절, 강만리는 다른 포두들과는 비교가 되지 않을 정도로 현격하게 높은 범죄 검거율을 보였다.

그건 강만리가 다른 이들보다 뛰어난 추리력을 지닌 까닭도 있었지만, 무엇보다 성도부 모든 사람들과 그들의 성격, 취미, 취향 등등에 대해서 마치 제 가족처럼 잘 알고 있었다는 점이 크게 작용했다.

"그런 내가 아는 한, 나는 지금까지 저 두 노인을 성도부에서 본 적이 없거든. 즉, 노인들은 거짓말을 하고 있다는 거고…… 그렇다면 왜 거짓말을 하고 있을까? 그야 당연히 자신들의 신분과 정체를 감추려는 거겠지."

강만리는 혼자서 묻고 혼자서 대답했다. 정유는 가만히 그의 이야기에 귀를 기울였다.

"물론 신분과 정체를 감추려는 노기인들이야 수도 없이 많겠지. 붕방의 노기인들도 그럴 테고. 하지만 저들이 진짜 붕방의 노기인들이라면? 만약 그들이라면 아란의 초대에 선뜻 응하지 않았을 거야. 뭔가 아란에게서 알아내고 싶은 게 있고, 또 우리 장원에 들려 뭔가 찾아내고 싶은 게 있기 때문에 그녀의 초대를 받아들였을 터……."

강만리는 목이 마른 듯 잠시 말을 멈추고 술 한 잔을 마신 다음 다시 이야기를 이어 나갔다.

"며칠 전 무적가가 퇴각했다고 했지? 과연 그들이 단

한 명의 정보꾼도 남겨 두지 않고 모두 도망쳤을까? 만약 내가 그들의 우두머리라면 분명 소수의 정예를 이곳에 남겨 두었을 거야. 십삼매의 행방을 알아내기 위해서, 그리고 자신들을 기습한 자들을 찾기 위해서 말이지."

거기까지 말한 강만리는 어깨를 으쓱거렸다. 굳이 더 이상 말할 필요가 있겠냐는 표정이었다. 정유는 무심코 고개를 끄덕이다가 불쑥 입을 열었다.

"그럼 저 두 노인이 누구인지 알 것 같습니까?"

"글쎄."

강만리는 자신 없다는 투로 말했다.

"내가 무적가 사람들에 대해서 자세히 아는 바가 없어서…… 그래도 대충 구백 중 두 명이지 않을까 싶은데. 어때?"

"정확합니다. 정말이지 형님의 추론을 듣다 보면 문득 소름이 끼칠 때가 있다니까요."

정유는 혀를 내둘렀다. 그리고 이내 정색하며 낮은 목소리로 말을 이었다.

"그들은 무적가의 구백 중 두 명으로 키가 작은 오 노야는 은형백이라는 인물로 추적과 잠입에 능한 고수입니다. 청수한 노인은 신안백이라는 자로, 역시 추적 등 사람을 뒤쫓거나 찾는 일에 매우 강점을 지니고 있습니다. 예전 정사대전 당시 사선행수들이 바로 저들에게 추적술과 은잠, 잠입술을 배우기도 했습니다."

"흠, 그렇다면 담 형님이 잘 아는 노인들이겠네."

"그럴 겁니다. 그런데 공교롭게도 마침 담 형님이 이곳에 안 계실 때 저들 두 노인이 찾아왔네요."

정유는 빙긋 웃으며 말했다.

"이래서 세상일이라는 게 참 재미있다니까요."

"재미있을 것도 많다."

강만리는 입을 삐죽이며 말했다.

"어쨌든 담 형님이 없는 상황이니만큼 그들 두 노인은 정유 네가 알아서 맡아."

"제가요?"

"당연하지. 너 말고 무적가의 구백과 맞설 만한 자가 이 장원에 또 누가 있겠나?"

"흐음. 하지만 아무리 저라 하더라도 구백 중 두 명을 상대하는 건 조금 벅찬데요."

정유의 말에 강만리가 말했다.

"내가 조금 도와주지."

정유가 웃으며 물었다.

"형님이요?"

"형님이요, 라니? 이거 날 무시하는데."

강만리는 팔짱을 끼며 말했다.

"저들을 해치운 후 넌 분명 내게 고맙다고 하거나 아니면 꽤 놀란 눈으로 날 돌아볼 거야."

"아아, 그럴지도 모르겠네요."

정유가 싱글벙글 웃으며 말했다.

"이제는 아예 저들이 움직였으면 하고 바라게 되는데요."

"움직일 거야, 분명."

"그럴까요, 과연?"

"그럴 생각이 아니라면 굳이 이 장원에 묵으려고 하지
않았을 테니까."

강만리의 말에 정유는 수긍한다는 듯 고개를 끄덕였다.

"그렇겠죠. 어쩌면 오늘 밤 바로 움직일지도 모르죠."

강만리도 고개를 끄덕였다.

"나도 그렇게 생각하네."

* * *

"대단하더군."

"확실히 놀랐다네. 어찌 보면 평범하기 그지없는 장원
인데, 무슨 경비가 그리 삼엄한지 절로 긴장이 되더군."

"어디 경비들뿐인가? 그 동서남북 네 방위에 세워진 탑
말일세. 그 탑마다 쇠뇌가 설치되어 있더라니까."

"분명 뭔가 숨기고 있는 게 분명하네. 그렇지 않고서야
이리 엄중하게 경계를 펼치지 않을 테니까."

"그렇지. 참, 그 강 장주라는 사내도 놀랍더군. 말하는 거나 행동 하나하나 모두 빈틈을 찾을 수가 없더라니까. 자네도 잘 알겠지만 나는 어떤 상대라 하더라도 한 시진 가량 대화를 나누면 그 상대에 대해서 속속들이 파악할 수 있는 기술을 가지고 있지 않나? 하지만 지금도 그 사내가 도대체 무슨 일을 하는지, 또 무슨 일을 해 왔는지 도저히 감을 잡지 못하겠네."

"그건 정유라는 사내도 마찬가지일세. 분명 무림인인 게 확실하지만 몇 번이나 은근하게 물어도 제 소속이나 문파에 대해서 조금의 틈도 보여 주지 않더군."

"정유라는 사내는 태극천맹의 소속일 가능성이 높네."

"응? 그걸 어찌 알았나? 왜 그리 생각하는데?"

"우선 그가 풍기는 기도나 행동거지를 보건대 정파의 인물임이 분명하네."

"그건 나도 그리 생각했네. 하지만 그걸로 태극천맹 운운하기는 좀 그렇지 않은가? 정파에도 수많은 문파가 있는데 말이지."

"조금 더 들어 보게나. 정유라는 사내, 어린 나이에도 불구하고 기세나 품위가 결코 평범하지 않은 절정 고수이네. 아무리 정파에 수많은 문파가 있다 하더라도 그런 젊은 고수를 키워 낼 문파는 손꼽을 정도에 불과하지. 구파일방, 신주오대세가, 오대가문, 그리고 태극천맹 이 정도가 아닐까 싶지 아마?"

"흠, 그건 나도 동의하네. 뭐, 물론 그렇다고 해서 우리가 모르는 중소 문파에서 그런 기재가 툭 튀어나올 가능성이 전무한 건 아니지만 말이지."

"그런 희귀한 경우는 차치하기로 하고. 먼저 오대가문 사람은 아닌 게 확실하네."

"응? 왜?"

"방금 전에도 말했지만 그 정도의 고수라면 분명 소속된 문파에서도 제법 높은 자리에 있을 터. 오대가문의 중추에 있는 사람이라면 우리를 몰라볼 이유가 전혀 없으니까."

"흐음. 하기야 우리도 오대가문의 중견 정도 되는 자들의 신상은 모두 꿰뚫고 있으니, 반대로 생각해서 그런 우리들도 모르는 오대가문의 젊은 고수라는 건 있을 수가 없지. 그래, 그 정유라는 사내가 오대가문 사람이 아니라는 건 나도 동의하겠네. 하지만 구파일방이나 신주오대세가의 젊은 고수일 가능성은 충분하지 않나? 우리가 거기까지는 일일이 다 알고 있지 못하니 말일세."

"아까 그가 검을 차고 있던가? 아니면 칼이나 다른 무기를 소지한 것 같던가?"

"응? 그건…… 흠, 그렇군. 무기를 소유하고 있지는 않은 것 같더군."

"그래. 구파일방이나 신주오대세가 중 검에 관련된 문파의 사람이라면 반드시 검을 휴대하고 있었을 것이네. 즉, 검에 관련된 문파는 아니라는 게지. 칼도 마찬가지야. 정유라는 사내는 겉으로 보기에는 최소한 병장기와 관련 없는 무공을 익혔을 것이고, 구파일방이나 신주오대세가 중 그런 문파는 오직 소림사밖에 없네. 자네는 그가 소림사 출신이라고 생각하나?"

"아니지. 결코 그는 소림사 땡중이 아니네. 그렇게 잘 생긴 땡중은 있을 수가 없지."

"뭔가 그건? 어쨌든 그래. 그럼 구파일방과 신주오대세가, 그리고 오대가문까지 제외한다면 이제 남은 건 태극천맹뿐이지."

"호오. 태극천맹이라…… 자네 말을 듣고 보니 확실히 그럴 가능성이 높군그래. 그럼 그 소속은?"

"아마도 태극감찰밀 소속이 아닐까 싶네."

"태극감찰밀?"

"그래. 태극감찰밀은 상당히 비밀스러워서 태극천맹 내부에서도 그들의 면면에 대해서 자세히 알지 못하네. 즉, 간단하게 말하자면 저 정유라는 사내뿐만 아니라 정체를 알 수 없는, 병장기를 소지하지 않은 정파의 젊은 절정 고수의 경우에는 태극천맹의 태극감찰밀원일 가능성이 매우 높다는 뜻이네."

"과연 그렇게 생각할 수 있겠네. 그렇다면 이 장원도 태극감찰밀과 연관이 있을까?"

"아무래도 그럴 가능성이 높겠지. 또 그런 식으로 생각한다면 이 장원의 엄중한 경계망이나 저 쇠뇌들의 배치까지 모두 이해할 수 있게 되네."

"흠, 어쩌면 이곳에 태극감찰밀의 서안 안가(安家)일 수도 있겠군."

"그럴 수도 있겠지."

"그럼 우리가 오해한 거네. 알고 보니 같은 동류였는데 괜히 긴장하고 머리를 굴린 것 같으이."

"아니, 그건 아니네."

"응? 그건 또 왜?"

"일전에 전해 듣기로는 태극천맹의 맹주와 오대가문의 가주들 사이에 알력이 있었다고 하네."

"그래?"

"하마터면 가주들과 맹주가 크게 싸울 뻔했고, 결국 그 바람에 오대가문과 태극천맹의 사이가 틀어지고 아예 적대적인 분위기까지 형성되었다네. 더불어 태극천맹의 맹주는 오대가문의 근신까지 명령했나 보더군."

"음, 그런 일이 있었나?"

"우리야 비상시국이라 현 가주 대리를 맡고 계시는 삼숙께서 당시 회합에 참석하지 않아서 뒤늦게 그 소식을 접했다고 하네."

"가주들과 맹주가 싸울 뻔했다니, 생각보다 심각한 일인 것 같은데?"

"물론이네. 어쩌면 오대가문과 태극천맹 사이에 전쟁이 일어날지 모른다는 이야기까지 있을 정도니까."

"허어."

"그래서 하는 말이네. 만에 하나…… 며칠 전 우리를 기습했던 그 몇 명의 복면인들이 태극천맹 소속이었다면……."

"으응? 그건 말도 안 되네! 어찌 그들이 우리를 기습할 수 있겠나?"

"확률은 떨어지지만 그래도 먼저 오대가문의 전력을 약화시키기 위해서 그럴 수도 있겠지. 무엇보다 이곳 성도부에 태극천맹의 안가 같은 이 장원이 있고, 때마침 정유 같은 젊은 절정 고수가 있다는 게 이상하지 않은가?"

"으음…… 우연이라고 하기에는 너무 공교롭다 이건가?"

"그렇다네. 게다가 불과 대여섯 명만으로 우리 무적가 사람들과 맞서 싸울 능력이 있는 복면인들이라니, 아무리 강호가 넓다 한들 그런 자들을 키워 낼 만한 문파가 과연 얼마나 되겠는가?"

"으음…… 으음…… 듣고 보니 확실히 이곳 장원이 수상쩍게 느껴지는군그래."

"그렇다네. 그렇기 때문에, 저들이 아직 우리의 존재를 모르고 있는 지금 바로 움직여야 하는 것이네."

"지금 바로?"

"그래. 지금 바로 움직여서 저들의 확실한 신분과 이 장원의 비밀을 캐내야 하네. 만약 저들이 진짜 태극천맹 사람이고 이곳이 태극천맹의 안가라면, 그리고 저들이 우리 무적가를 기습했다는 증거를 찾게 된다면……."

"으음."

"그건 더 이상 우리 무적가 만의 문제가 아니네. 저 수십 년 전의 정사대전처럼, 무림의 운명과 존속이 결정지어지는 일이 되는 것이야."

"그렇군. 확실히 큰 문제가 되겠네. 그럼 아무래도 강장주를 잡아 족치는 게 가장 빠르겠지?"

"음, 확실한 정보나 증거 없이 무작정 그런 일을 하는 건 확실히 정파의 인물이 할 법한 행동은 아니지만…… 워낙 사안이 사안이다 보니 어쩔 도리 없겠지."

"그래. 만약 강 장주를 오해한 거라면 마땅히 사과하고 그에 합당한 대가를 주면 되니까."

"좋아, 그럼 시작하세."

7장.
생각보다 약해서 그래

놀랍게도 그렇게 다섯 배 무거워진 야우린은
무려 오십 배 이상의 위력을 지니게 되었다.
그냥 단단히 움켜쥔 채 한 번 휘두르기만 하면
아름드리나무가 박살이 나고 천 근 바위가 산산조각이 났다.

1. 암습(暗襲)

키 작은 노인, 은형백이 먼저 거처를 빠져나왔다.

한밤중의 겨울. 유난히 낮의 날씨가 매섭다 싶더니 새까만 밤하늘에서 아무도 모르게 흰 눈이 내리고 있었다. 솜털 같은 눈은 소리 없이, 바람에 흩날리지도 않으면서 차곡차곡 내려앉았다.

좋은 징조였다.

이렇게 내리는 눈은 행여 있을지 모르는 은형백과 신안백의 희미한 기척마저 가려 줄 것이다. 또한 아직 눈이 쌓이지 않으니 발자국이 생길 리는 없었다.

반면 장원 경비를 서고 있는 자들은 추위를 견디지 못

하고 움직이거나 혹은 기척을 낼 게 분명했다.

모든 게 은형백과 신안백에게 도움이 되고 있었다.

은형백은 잠시 주위를 둘러보았다. 어둠에 잠긴 장원은 고요했고 적막했다. 달빛 한 점 없는 한밤중, 그저 새하얀 눈만이 소리 없이 내려앉을 뿐이었다.

은형백은 입술을 움직였다.

-나오게.

전음술이었다.

그의 전음술을 들은 신안백이 곧장 거처를 빠져나왔다. 그 역시 아무런 기척도 내지 않은 채 은형백의 뒤로 다가왔다.

은형백은 물고기처럼 입을 뻐끔거렸다.

-내 뒤만 따라오게.

물론 두 사람 모두 추격술, 은잠술, 잠입술 등에 능통했지만 그래도 은형백은 별호 그대로 은잠과 잠입에 특화되어 있었다. 전 무림을 둘러봐도 그보다 뛰어난 은잠술과 잠입술을 지닌 이는 불과 다섯을 헤아리기가 힘들 정도였으니까.

신안백은 순순히 고개를 끄덕이며 입술을 들썩였다. 역시 들리지 않는 무음(無音)의 목소리가 전음술이라는 기법을 통해 은형백의 귓전으로 파고들었다.

-조심하게. 아까도 보고 느꼈지만 이곳 경비는 장난이

아니네. 외려 우리 무적가의 그것보다 훨씬 더 엄중한 것 같으니 말이지.

은형백은 고개를 끄덕였다.

-알고 있네. 그래서 미리 본청으로 향하는 동선을 짜 두었으니까. 자네야말로 내 발자국만 따라 움직이게.

-그렇게 하지.

무언의 대화는 게서 끝났다.

은형백은 천천히 주위를 둘러보다가 어둠과 주변 사물의 지형을 이용하여 빠르게 움직였다. 그는 고양이처럼 민첩하고 영활하게, 그리고 아무런 소리도 내지 않은 채 월동문 하나를 지나 벽에 달라붙었다.

놀랍게도 바로 그 뒤에 신안백이 있었다. 신안백은 은형백이 움직이는 순간 마치 그림자처럼 그 뒤에 달라붙어서, 은형백과 한 몸이라도 되는 양 움직였다.

은형백은 다시 주변을 훑어보며 입술을 달싹거렸다.

-월동문을 지났으니 본당이로군. 저 건물이 아까 그 본청일 테고.

넓은 마당 저편으로 장엄한 전각 한 채가 어둠 속에서 희미하게 보였다. 바로 이곳 화평장의 대소사를 결정하는 위정전이었다.

-본청 대청에 불이 켜져 있는 걸 보면 아직도 그자가 있는 걸까?

등 뒤의 신안백이 조심스레 물었다. 은형백은 위정전으로 이르는 몇 개의 동선을 확인하며 대꾸했다.

-글쎄. 어쨌든 저곳부터 들르는 게 순서이겠지. 최소한 시녀나 하인을 잡아 강 장주라는 자의 처소를 물어봐야 할 테니까.

-그래야겠지.

-음, 오른쪽으로 이동하는 건 포기해야겠군. 은잠해 있는 자들이 다섯 명이나 되네.

-왼쪽 경로도 만만치 않은 것 같은데.

-저 건물 지붕과 담벼락을 이용하면 충분해.

은형백은 다시 한번 동선을 파악한 후 크게 고개를 끄덕이고는 곧바로 신형을 움직였다.

건물들 처마 밑에는 횃불이 밝혀져 있었고, 곳곳에 화톳불이 주변을 밝히고 있었다. 하지만 은형백은 그 횃불과 화톳불을 전혀 두려워하지 않았다.

외려 그는 횃불과 화톳불이 일렁이며 생기는 음영을 적절하게 이용하여 순식간에 세 채의 건물을 지나 또 다른 건물의 지붕 위로 몸을 숨겼다. 바로 위정전과 처마 끝이 맞닿을 정도로 가까운 거리에 있는 건물이었다.

은형백은 게서 잠시 몸을 숨인 채 가만히 시간을 보냈다. 그의 그림자에 숨어 있던 신안백이 초조해져서 입을 열려는 순간, 한 무리의 사내들이 지붕 아래로 모습을 드러냈다. 장원 본당과 내당을 교차하며 순찰하는 순찰조 중의 하나였다.

횃불을 든 순찰조가 위정전 앞을 지나 저편 건물 뒤쪽으로 사라졌다.

─규율이 잘 잡혀 있고 기강이 제대로 서 있군. 누구 하나 잡담을 나누는 이가 없는 걸 보면.

은형백은 건물 뒤편으로 사라지는 순찰조를 지켜보며 전음술을 건넸다.

확실히 이 다섯 명의 순찰대원은 상당히 늦은 시각에 눈까지 내리는 한밤중임에도 불구하고 잡담을 나누거나 딴짓을 하지 않았다.

그들은 맡은 바 임무대로 주위를 철저히 둘러보며 낯선 자들의 침입을 경계했다. 물론 그렇게 철저하고 투철하게 제 임무를 수행했지만 아쉽게도 그들은 은형백과 신안백의 기척을 알아차리지 못했다.

─그럼 가지.

은형백은 주위의 기척이 없음을 확인한 후 조심스레 몸을 일으켜 훌쩍 몸을 날렸다. 그의 신형은 아무런 소리 없이 허공을 날아 위정전의 지붕 위로 내려앉았다. 신안백은 여전히 그림자처럼 그 뒤를 따랐다.

은형백은 처마 밑으로 고개를 내밀어 불이 밝혀져 있는 실내를 확인했다. 창 저편 실내에서 희미하게나마 두런

거리는 소리가 들려왔다.

'아직 안 자고 있었구나.'

은형백은 귀를 쫑긋거렸다. 지금 들려오는 목소리는 확실히 강만리와 정유의 음성이었다. 상당히 늦은 시각이었지만 그들은 아직 자리를 파하지 않은 모양이었다.

은형백은 조심스레 처마 안쪽으로 기어 들어갔다. 그러고는 박쥐처럼, 혹은 도마뱀처럼 치마 안쪽에 찰싹 달라붙은 상태로 창에 귀를 기울였다.

강만리와 정유의 목소리가 조금 더 생생하게 들려왔다.

"그럼 이제 무적가는 어찌할 생각이십니까?"

정유의 음성이었다.

은형백과 그의 등에 달라붙어 있는 신안백의 눈빛이 동시에 번들거렸다.

─이렇게 쉽게 증거를 잡을 수 있을 줄이야.

─역시 내 추측이 옳았네. 다른 건 몰라도 확실히 며칠 전의 그 복면인들과 연관이 있네.

그들이 전음술로 대화를 나누는 동안 위정전 실내에서도 대화가 계속 이어지고 있었다.

"글쎄. 그들이 어떻게 나오느냐에 달렸겠지."

이건 이 장원의 주인인 강만리의 목소리였다. 다시 정유의 말이 이어졌다.

"제 생각으로는 너무 크게 일을 벌이지 않았으면 합니다. 어쨌든 철목가의 가주가 이곳으로 달려오고 있는 중이니까요. 무적가보다는 그들을 상대하는 게 급선무입니다."

순간 은형백과 신안백은 서로의 얼굴을 돌아보았다. 그들은 진중한 얼굴로 다시 귀를 기울였다.

강만리의 목소리가 들려왔다.

"철목가에 대해서는 아까 자네가 해 준 이야기를 듣고 조금 생각해 둔 바가 있네."

"벌써 말입니까?"

"그래. 이이제이(以夷制夷)라고 하지 않았나?"

"이이제이라면…… 설마 십삼매와 그들을 부딪치게 할 생각이십니까?"

—십삼매!

—드디어 그 이름이 나왔구나!

하마터면 크게 소리칠 뻔한 걸 억지로 참으며 은형백과 신안백은 다시 서로를 돌아보았다. 그들의 얼굴이 일말의 승리감이 깃들었다.

하지만 이내 그들의 얼굴은 진중해졌다.

—어쩌면 십삼매라는 여인은 태극천맹이 보낸 자객일지도 모르겠네.

—나도 그와 비슷한 생각을 했네. 저 두 사내가 태극천

맹의 사람이 확실하다면…… 십삼매와 태극천맹이 한패일 가능성이 매우 높은 게지.

-으음, 이거…… 어쩌면 태극천맹이 꽤 오래전부터 오대가문을 노리고 있었던 것인지도 모르겠군.

두 노인은 심각한 표정을 지은 채 전음술로 대화를 나눴다. 그때, 정유가 길게 하품을 하는 소리가 들려왔다.

"너무 늦은 것 같습니다. 이 아우는 먼저 일어서야겠습니다."

"그렇게 하게. 안 그래도 천맹에서 예까지 꽤 먼 여정이었을 테니까."

'천맹?'

'역시! 이 자들은 천맹 사람들이었다!'

두 노인의 눈빛이 호랑이의 그것처럼 번들거리며 살기를 뿜어냈다.

"그럼 먼저 쉬겠습니다."

정유의 음성과 함께 의자 끌리는 소리가 났다.

터벅터벅.

희미하게 들려오던 발걸음 소리는 곧 사라졌다. 곧 이층 건물 한쪽 창가에 불이 밝혀졌다가 반각 후 다시 어두워졌다. 잠자리에 든 모양이었다.

-지금 대청에는 강 장주 혼자 남아 있네.

-어떻게 할까? 강 장주 한 명만 상대하는 거라면 쉽게

사로잡을 수 있을 것 같은데.

　-조금 더 두고 보지.

　신안백과 은형백은 경거망동하지 않았다. 대청 안에 강만리만 있는지, 아니면 다른 호위 무사들도 있는지 알아야 했다.

　또한 잠자리에 든 정유가 다시 내려올 수도 있었으니, 잠시 상황을 지켜보는 게 나을 것 같았다.

　술을 따르고 마시는 소리가 희미하게 들려왔다. 아마 대청에 홀로 남은 강만리가 자작하고 있는 듯했다.

　-다른 기척은 전혀 찾을 수 없네. 확실히 저 안에는 오로지 강 장주만 있다네.

　신안백이 단언하듯 전음술을 펼쳤다. 사람을 쫓거나 기척을 눈치채고 적의 암습과 은잠을 발견하는 데에는 은형백보다 신안백의 능력이 더 뛰어났다.

　은형백은 고개를 끄덕이며 전음술을 펼쳤다.

　-그럼 바로 들어가 놈을 잡을까? 아니면 그가 처소에 들어가는 걸 지키고 있다가 잠자리에 들면 기습할까?

　-당연히 지금 잡아야겠지. 우선 처소가 어딘지도 모르는 데다가 그곳에 무슨 함정이나 어떤 경비망이 펼쳐져 있는지도 알 수 없지 않나? 행여 처소 주변에 엄청난 경비망이 펼쳐져 있다면 그야말로 닭 쫓던 개 꼴이 될 터이니까.

-좋아. 그럼 셋을 헤아리고 바로 뛰어 들어가자고.

강만리를 사로잡으면 다른 경비 무사들이나 정유는 더 이상 신경 쓰지 않아도 될 것이다. 어쨌든 이 장원 주인의 목숨을 손에 쥐는 것이니까.

두 노인은 서로 눈을 맞췄다. 동시에 그들은 속으로 수자를 헤아리기 시작했다.

하나.

둘.

셋, 이라는 수를 헤아리는 순간 은형백은 창을 박살 내며 대청 안으로 뛰어 들어갔다.

우지끈! 하는 요란한 소리가 울려 퍼졌다.

2. 꽤 놀란 눈으로

우지끈!

나무로 만들어진 격자창이 박살 나며 파편이 사방으로 튀었다. 은형백이 그 파편 사이를 뚫고 대청 안으로 뛰어 들어왔다. 그 뒤를 따라 들어간 신안백이 외려 은형백보다 빠르게 강만리를 덮쳐 갔다.

하지만 다음 순간, 강만리를 덮쳐들던 신안백의 표정이 일그러졌다. 절로 신음이 흘러나왔다.

"이런⋯⋯."

강만리가 아니었다.

홀로 탁자에 앉아서 술을 마시고 있던 사내는 이미 이 층으로 올라간 줄 알았던 정유였던 것이다.

'함정!'

그것은 정유를 본 순간, 신안백의 뇌리에 절로 떠오른 단어였다.

벼락처럼 덮쳐들던 기세가 주춤거려졌다. 행여 있을지 모르는 기습에 대비하느라 신경이 분산되었다. 그의 무게 중심이 허공 한가운데에서 살짝 흐트러졌다.

반면 기습 공격을 당한 정유는 의외로 느긋했다. 마치 기습을 당할 줄 알고 있었다는 양, 그는 술잔을 든 채 신안백과 은형백이 창을 깨고 침입하는 광경을 가만히 지켜보다가 신안백을 향해 술을 뿌렸다.

술은 암기처럼 빠르고 강렬한 파공성을 일으키며 신안백을 향해 쏟아졌다. 평범한 술이었지만 신안백은 감히 경시하지 못했다.

미리 함정을 파고 기다리는 중인 게다. 어쩌면 술이 아니라 독(毒)일지도 몰랐다.

막는 것보다는 피하는 게 낫다, 라는 생각이 빠르게 그의 뇌리를 스치고 지나갔다.

일순 그는 왼발로 오른쪽 발등을 걷어차며 허공으로 도

약했다. 놀랍게도 그의 신형은 이 층 천장까지 훌쩍 솟구쳤다.

술은 신안백의 발밑을 지나쳐 고스란히 은형백에게로 쏟아졌다. 그 순간 은형백은 신안백과는 반대로 곧장 몸의 중심을 낮춰 그대로 바닥으로 내려앉았다.

결국 정유의 술은 신안백의 발밑과 은형백의 머리 위를 지나쳐 벽에 뿌려졌다.

치지직!

놀랍게도 벽이 타들어 가는 소리가 요란하게 들려왔다.

'역시 극독(劇毒)이었구나!'

허공 높이 솟구친 신안백이 내심 중얼거릴 때였다. 갑자기 우지끈! 하면서 이 층 복도 나무판자가 부서지는 소리와 함께 무언가가 그의 뒤통수를 향해 무시무시한 기세로 쏟아졌다.

'이런!'

신안백의 안색이 급변했다. 창을 뚫고 정유를 향해 날아들다가 막 방향을 바꿔 허공 높이 솟구친 상태였다. 더 이상 방향을 틀거나 피할 여력이 없었다.

신안백은 곧장 칼을 들어 그 등 뒤에서 무겁게 쏟아지는 무언가를 후려쳤다.

챙!

요란한 소리와 함께 외려 그의 칼이 튕겨 나갔다. 그 격렬한 공세를 막아 내지 못한 것이다.

신안백의 안색이 확 변했다.

'위험하다!'

그는 다급하게 왼팔을 들어 머리를 보호하는 한편, 호신기공을 끌어올려 전신을 휘감았다.

거의 동시에 신안백의 칼을 튕겨 낸 묵직한 무언가가 머리를 감싼 그의 왼팔을 강타했다. 순간 신안백은 전력을 다해 호신강기를 펼쳤다.

우지끈!

통나무가 부러지는 듯한 소리가 그의 팔뚝에서 흘러나왔다. 수십만 근의 힘이 실린 철봉(鐵棒)이 그대로 팔을 내리찍은 것이다.

그 충격을 견디지 못한 신안백의 팔이 찢어지고 부러져서 너덜거리며 분리되었다. 막 끌어올렸던 호신강기마저 아무런 도움이 되지 않았던 게다.

"으아악!"

신안백은 비명을 터뜨렸다.

하지만 그게 전부가 아니었다. 그의 팔을 분지른 철봉은 그 위력이 전혀 줄어들지 않은 채, 아니 그 기세를 타고 있는 힘껏 신안백의 뒤통수를 내리찍었다.

그의 전신을 휘감은 호신강기가 철봉을 밀어내려 했지

만 소용없었다. 철봉은 도저히 감당할 수 없는 힘과 위력과 기세를 실은 채 그대로 신안백의 뒤통수를 내리쳤다.

팍!

수박이 박살 나는 듯한 소리가 터졌다. 뼈가 부서지고 뇌수가 튀었다. 뒤통수가 함몰되는 충격으로 두 개의 안구가 밖으로 튀어나왔다.

무려 이 갑자가 넘는 엄청난 내공이 실린 일격!

섬세한 기술이나 현묘한 움직임 따위는 전혀 없는, 오로지 단순무식하게 모든 내공을 쏟아부어 휘두른 그 가공할 위력 앞에서 일 갑자의 호신강기는 아무런 소용이 없었다.

수박 깨지듯, 장독 부서지듯 신안백은 팔이 부러지고 머리는 함몰된 채로 추락했다.

정유의 술을 피해 지면으로 내려앉았다가 막 몸을 일으켜 세우던 은형백의 시야 앞으로 신안백이 떨어져 내렸다.

쾅!

그가 떨어져 내린 탁자는 산산이 부서지고 그릇과 음식들이 사방으로 튀었다.

은형백은 그때까지도 무슨 영문인지 몰라 휘둥그레 눈을 뜬 채 멀뚱멀뚱 전면을 바라보다가, 본능적으로 고개를 들었다.

그 순간 이 층 난간 위로, 멧돼지처럼 단단하고 곰처럼 커다란 사내가 철봉을 들고 우뚝 서 있는 모습이 보였다.

"강 장주?"

은형백이 중얼거릴 때 강 장주, 강만리는 훌쩍 난간을 뛰어넘었다. 동시에 그가 들고 있던 철봉이 은형백의 정수리에 내리꽂혔다.

은형백은 반사적으로 칼을 틀어막았다.

그것은 조금 전 자신의 머리 위 허공 높은 곳에서 무슨 일이 일어났는지 알지 못했기에, 또 지금껏 자신의 일 갑자 내공으로 막지 못할 공격이 없었다는 경험에 의한 본능적인 방어였다.

하지만 강만리의 철봉은 지금껏 은형백이 경험했던 그 어떤 무기와도 달랐다. 철봉이 허공을 가르고 은형백의 머리 위로 내리꽂히는 순간, 그 뒤를 따라 뒤늦게 파도가 갈라지고 해일이 이는 듯한 파공음이 일었다.

그 파공성을 듣고 나서야 뭔가 잘못되었다는 생각이 은형백의 뇌리에 떠오르려는 찰나, 철봉과 맞부딪친 칼은 유리처럼 산산조각이 났으며 동시에 강만리의 철봉은 은형백의 정수리를 박살 내고 뇌수를 뭉개고 얼굴을 짓뭉갰다.

그리하여 은형백은 뭔가 잘못되었다는 생각조차 제대로 하지 못한 채 목숨을 잃고 그 자리에 쓰러졌다.

장내는 순식간에 조용해졌다.

"이런."

빈 술잔을 쥔 채 그 광경을 지켜보던 정유가 문득 한숨을 쉬며 입을 열었다.

"도대체 이렇게 무식하고 단순하기 짝이 없는 싸움이 어디 있죠?"

강만리는 들고 있던 철봉을 물끄러미 내려다보며 고개를 끄덕였다.

"헌원 영감이 나름대로 고쳐 준 보람이 있군그래. 예전보다 훨씬 더 쓰기 편해졌어."

지금 그가 들고 있는 철봉은 야우린이라는 무기로, 수년 전 헌원중광이 강만리를 위해 만들어 준 무기였다.

하지만 세월이 흐르고 이런저런 기연을 통해 그의 내공이 급격하게 늘자, 야우린은 강만리가 사용하기에 너무 가벼워진 것이다.

그런 고민을 전해 들은 헌원중광은 야우린의 내부에 중철(重鐵)을 더해 그 무게를 다섯 배 이상 늘렸다.

놀랍게도 그렇게 다섯 배 무거워진 야우린은 무려 오십배 이상의 위력을 지니게 되었다. 그냥 단단히 움켜쥔 채 한 번 휘두르기만 하면 아름드리나무가 박살이 나고 천근 바위가 산산조각이 났다.

물론 중철로 인한 그 엄청난 무게 때문에 일반 사람들

은 아예 들지도 못할 정도로 무거웠다. 즉, 강만리의 이 갑자 내력이 있어야만 비로소 그렇게 제대로 휘두를 수 있는 무기가 바로 이 야우린이었다.

정유는 그 야우린과 또 야우린을 내려다보고 있는 강만리를 바라보며 입을 열었다.

"그 무지막지한 무기와 형님의 무지막지한 내공 앞에서는 초식이고 검법이고 아무런 소용이 없을 것 같습니다."

농담이 아니었다. 과장도 아니었다.

한 번 후려치고 내리치는 것만으로 상대의 무기를 박살 내고 팔을 부러뜨리고 정수리를 부수는데, 검법이, 초식이 무슨 소용이 있겠는가.

어찌 감히 그 사정권 안에 들어서서 손속을 겨룰 생각을 할 수 있겠는가.

"그야 이 늙은이들이 생각보다 약해서 그래."

강만리는 이미 죽은 은형백이나 신안백, 아니 구백, 아니 무적가 사람들이 들으면 기절초풍할 말을 함부로 내뱉으며 걸어와 정유의 곁에 앉았다.

3. 이쪽 일을 하는 여인들

우당탕탕!

요란한 소리와 함께 대청의 문이 와락 열리더니 소란을 듣고 달려온 경비 무사들이 한꺼번에 들이닥쳤다.

"무슨 일이라도……."

소리치며 들어서던 그들은 산산조각이 난 탁자와 두 명의 시신을 발견하고 눈을 휘둥그레 떴다.

"이들이 왜 여기에?"

중얼거리던 그들은 이내 이곳에서 무슨 일이 벌어졌는지 짐작한 듯 강만리를 향해 허리를 굽히며 사과했다.

"죄송합니다! 철저하게 경비를 선다고 했는데도 이런 침입자가 나오다니, 모두 속하들의 불찰입니다!"

이곳 장원을 지키는 무사들은 크게 두 부류로 갈린다. 하나는 흑룡방주 고굉을 통해 들여온 무사들이었는데, 그들은 주로 장원 외곽과 외당 쪽 경비를 맡는다.

내당과 본당의 경비를 책임지는 이들은 북해빙궁의 무사들로, 그들은 절대적인 충성도와 상당히 뛰어난 무공 실력을 소유하고 있었다.

하지만 그렇다고 해서 은형백과 신악백의 침입을 눈치채고 미연에 방지할 정도의 절정 고수들은 아니었다.

강만리 또한 그런 사실을 잘 알고 있었기에 굳이 그들을 타박할 생각을 하지 않았다.

"아냐. 자네들 책임이 아니네."

강만리가 부드럽게 말했다.

"게다가 사실 우리가 일부러 함정을 파고 이들을 끌어들인 격이니까, 그렇게까지 스스로를 책망할 필요는 없네."

그렇게까지 강만리가 위로하자 북해빙궁의 무사들은 겨우 고개를 들고 입을 열었다.

"시신들은 평소처럼 처리할까요?"

이 장원에 쳐들어왔다가 목숨을 잃은 자들은 모두 뒤뜰 구석에 묻혔다. 이들 두 구의 시신도 곧 뒤뜰의 자양분으로 변하게 될 것이다.

"탁자로 새로 가져다주고. 아, 창틀도 수리해야 할 것 같아."

"존명!"

경비 무사들은 씩씩하게 대답한 후 바쁘게 움직이기 시작했다.

가만히 그 모습을 지켜보고 있던 정유가 문득 생각났다는 듯이 입을 열었다.

"아까 저들이 약하다고 하셨던가요?"

"응? 누구? 아, 신안백과 은형백?"

강만리는 고개를 끄덕이며 말했다.

"그래. 생각보다 약하더라고."

"형님도 참."

정유는 미미하게 웃으며 말했다.

"형님처럼 세상에서 이들을 약하다고 말할 수 있는 사람이 과연 얼마나 될까요?"

중얼거리던 정유는 문득 한두 시진 전에 그와 나눴던 대화의 한 토막이 기억났다. 당시 정유는 신안백과 은형백 두 사람을 홀로 상대하기 벅차다고 이야기했다.

"흐음. 하지만 아무리 저라 하더라도 구백 중 두 명을 상대하는 건 조금 벅찬데요."

정유의 말에 강만리가 말했다.

"내가 조금 도와주지."

정유가 웃으며 물었다.

"형님이요?"

"형님이요, 라니? 이거 날 무시하는데."

강만리는 팔짱을 끼며 말했다.

"저들을 해치운 후 넌 분명 내게 고맙다고 하거나 아니면 꽤 놀란 눈으로 날 돌아볼 거야."

그랬다.

확실히 지금 정유는 꽤 놀란 눈으로 강만리를 바라보고 있었다.

"음, 하지만 확실히 약해."

강만리는 단언했다.

"구백의 다른 자들보다는, 그리고 무적가의 중진들에 비해서는 확실히 약해."

"물론 그렇기는 하겠죠."

정유는 고개를 끄덕였다.

"아무래도 이들이 무공이 은잠술, 추격술, 침입술 등에 특화되어 있으니까요. 하지만 그렇다고 해서 단 일격에 해치울 수 있을 정도로 약한 자들은 결코 아니거든요. 설령 담 형님이라고 해도 저들을 일격에 해치우진 못했을 겁니다."

"그건 담 형님이니까."

강만리는 망설이지 않고 고개를 끄덕였다.

"만약 상대가 담 형님이었더라면 한 치도 방심하지 않았겠지. 처음부터 전력을 기울였을 테고, 또한 함부로 정면에서 맞부딪치려 하지 않았을 게야. 그렇게 저들 두 사람이 수비적으로 나서면야 아무리 담 형님이라 하더라도 일격에 해치우지 못할 수도 있겠지."

강만리는 어깨를 으쓱거리며 말을 이어 나갔다.

"하지만 저들은 날 몰랐으니까. 그리고 야우린을 몰랐지. 거기에 한 번 얻어맞으면 뼈도 못 추린다는 사실을 말이야."

"하기야 미리 알았더라면……."

정유가 동의한다는 듯이 고개를 끄덕였다.

"그래, 미리 알고 있었더라면 절대로 막지 않았겠지. 피하고 피하고 또 피하면서 역습을 노린다면, 외려 저들에게 더 승산이 있었을 거야. 어쨌든 저들은 강호의 노회한 고수들이니까. 금세 내 약점을 찾아냈겠지."

"흠, 듣고 보니 그 말씀도 맞네요."

정유는 수긍하듯 고개를 끄덕이며 말했지만 사실 내심은 조금 달랐다.

'신안백과 은형백이 당한 건 결코 방심해서였거나 상대를 무시했기 때문이 아니다. 그저 자신들이 생각했던 것보다 훨씬 더 막강하고 압도적인 무력 앞에 박살이 난 것뿐이다.'

정유는 강만리를 바라보며 생각했다.

'저 두 노고수를 일격에 박살 낼 정도라면 최소한 이 갑자 이상의 내공을 지녔을 것이다. 말이 쉬워서 이 갑자이지, 백이십 년 동안 하루도 쉬지 않고 매일 운기조식을 하고 내공을 쌓아야 비로소 가능한 게 이 갑자의 내력이 아니던가?'

내공만으로 따지자면 강만리는 절정 고수들이 모래알처럼 많다는 이 강호무림에서도 열 손가락, 아니 다섯 손가락 안에 들 것이다.

물론 정유는 강만리가 어떻게 그 어마어마한 내공을 쌓게 되었는지 잘 알고 있었다.

어린 포졸 시절 뇌옥에 갇혀 있던 정체불명의 늙은이로 부터 심법을 배운 이후 인연과 기연(奇緣)이 씨줄과 날줄 처럼 얽히면서 강만리는 엄청난 내공을 쌓을 수 있었다.

강만리가 만약 그 막강한 내공에 걸맞은 위력을 지닌 무공을 익히게 된다면……

'어휴, 생각하기도 싫다.'

정유는 저도 모르게 고개를 설레설레 저었다.

"그리고 무엇보다……."

강만리는 정유가 그런 생각을 하는지도 모른 채 다시 입을 열었다.

"네 덕이 매우 컸지."

강만리의 말에 정유가 그를 돌아보았다. 강만리는 슬쩍 웃으며 말을 이었다.

"저 두 늙은이 모두 온통 네게만 집중하고 있었으니까. 그리고 신안백 같은 경우에는 네 술 세례를 피하느라 허 공에서 방향을 튼 까닭에 내 기습에 고스란히 맞서야 했 지. 사실 우리를 처음 만났을 때부터 저 두 늙은이는 너 만을 경계하고 있었을 게야. 그런 네가 정면에 딱 버티고 앉았으니까, 모든 계심이 네게로만 향했고…… 덕분에 내 기습이 생각보다 훨씬 수월하게 성공할 수가 있었지."

"뭐, 꼭 그렇게까지 말씀하지 않으셔도……."

정유가 웃으며 말했다.

"이런 경우에 딱 들어맞는 속담이 있기는 합니다. 눈앞의 호랑이를 경계하다 여우에게 뒤통수를 물린다, 는 말 말입니다."

"쳇, 그럼 나는 여우가 되는 겐가?"

"형님처럼 살찐 여우가 있다면 말입니다. 하하하."

두 사람은 활짝 웃었다.

피비린내가 코를 찌르는 대청에서 그들의 맑은 웃음소리가 뭉게구름처럼 피어나고 있었다.

* * *

다음 날 아침.

위정전으로 향하는 아란의 발걸음은 그 어느 때보다도 가벼웠다.

당연한 일이었다. 은거한 붕방의 노고수로 추정되는 두 명의 노인을 데리고 왔으니, 지금껏 그녀가 이 장원에서 공짜로 먹은 밥값은 충분히 하고도 남는 공(功)이라 할 수 있었다.

"그 두 노인을 통해서 굴비 엮듯이 붕방의 노고수들을 줄줄이 모셔 오는 거야. 그렇게 된다면 굳이 붕방 고수들을 초빙하러 심산유곡을 떠돌아다닐 필요가 없는 거지."

그녀는 붕방의 고수를 초빙하는 임무를 받고 장원을 나

선 설벽린을 떠올리며 키득거렸다.

"그러니까 될 사람은 어떻게든 다 되게 되어 있는 법이라고. 반면에 안 될 사람은 뒤로 넘어져도 코가 깨지는 법이고."

그렇게 중얼거리며 대청으로 들어서던 아란은 문득 걸음을 멈추고 코를 킁킁거렸다. 대청에서 미약하게나마 피 냄새가 났기 때문이다.

아란은 대청 주위를 둘러보았다. 어제와 별반 달라진 건 보이지 않았다. 하지만 입구 쪽 창문을 바라보는 아란의 눈빛이 예리하게 빛났다.

"창틀이 새 걸로 바뀐 것 같은데?"

그녀가 고개를 갸웃거릴 때였다.

"아침 일찍 무슨 일이야?"

등 뒤에서 강만리의 묵직한 목소리가 들려왔다.

아란이 몸을 돌렸다. 강만리는 잠에서 덜 깬 듯 늘어지게 하품을 하며 위정전을 향해 걸어오는 중이었다.

"밤중에 무슨 일이 있었어요?"

아란이 물었다.

"피 냄새도 나는 것 같고, 저기 저 창틀도 새로 갈아 끼운 것 같은데요."

'후각도 좋고 이목도 뛰어난데, 눈치가 없는 게 문제야.'

강만리는 속으로 한숨을 쉬고는 엉덩이를 긁적거리며
입을 열었다.

"어제 네가 데리고 온 두 늙은이가 몰래 기습하려 했거
든. 저 창을 뚫고 말이지."

이내 아란의 눈이 휘둥그레졌다.

"그 두 노인이요? 왜요?"

"왜긴 왜겠어? 당연히 날 죽이거나 잡아 족치려고 한
거지."

"왜요, 그들이?"

"그야 그들이 무적가 사람들이니까."

"네에? 그들이 무적가 사람들이라고요?"

"그래. 무적가의 구백 중 두 명이야."

"구, 구백이라고요?"

말을 더듬던 아란은 침을 꿀꺽 삼켰다.

구백이라면 천하제일 무가로 알려진 무적가에서도 손
꼽히는 고수들이었다. 그러니 어제 그들이 풍기는 기운
과 기세가 심상치 않았던 게 당연한 일이었다.

'그 구백 중 두 명이 기습했는데 정작 강 오라버니는 말
짱한 것 같네?'

아란은 황급히 물었다.

"그럼 그 두 노인네들은 어찌 되었어요?"

"죽었어."

"누가 죽였어요?"

"누구기는. 당연히 나와 정유, 둘이서 해치웠지."

"세상에나!"

아란의 입이 쩍 벌어졌다.

"두 명의 구백을 해치웠다니, 정유라는 분이 그렇게 강한가요?"

강만리가 눈살을 찌푸렸다.

"아니, 나는 왜 빼는데?"

"그야 오라버니는 별다른 도움을 주지 못했을 테니까요."

"왜 그렇게 생각하는데?"

"그 늙은이들이 무적가의 구백이라면서요?"

"그래."

"그러니까요."

아란이 싱글거리며 말했다. 강만리는 가만히 그녀를 바라보다가 한숨을 쉬고는 고개를 외로 꼬며 말했다.

"뭐, 그렇게까지 말하는 데야 어쩔 도리가 없지. 그건 그렇고…… 네가 할 일이 있다."

"뭔데요?"

"예서 말하기는 그렇고…… 안으로 들어가자."

"아, 그 두 늙은이를 함부로 데려왔다는 책망이라면 굳이 하지 않으셔도 돼요. 멍청한 짓을 했다고 이미 반성하는 중이니까요."

아란의 말에 강만리는 다시 한숨을 내쉬었다.

'십삼매도 그렇고…… 도대체 이쪽 일을 하는 여인들은 왜 하나같이 이 모양인지 모르겠네.'

그는 속으로 투덜거리면서도 겉으로는 아무런 내색 없이 말했다.

"그런 게 아니다."

"그럼요?"

"철목가에 대한 일이다."

일순 아란의 얼굴이 딱딱하게 굳어졌다.

8장.
오대가문의 밀약(密約)

"이십여 년 전, 정사대전을 승리로 이끈 오대가문이 제일 먼저 한 건 논공행상(論功行賞)이었어요. 즉, 자신들의 몫을 챙기는 일부터 시작한 거죠."
강만리는 당연하다는 듯이 말을 받았다.
"그야 승자의 권리이니까."

1. 당연히 칭찬이죠

워낙 많은 이들이 장원을 빠져나갔기에 비록 정유가 합류했다고는 하더라도, 아침 식사를 함께하는 이들의 수가 평소에 비해 현저하게 줄어들었다.

많으면 스무 명가량이 북적거리며 떠들썩하게 식사를 할 텐데, 지금은 강만리와 정유, 소묘아와 고로투, 거기에 고굉과 아란까지 모두 여섯 명이 함께 식사하고 있었다.

'저렇게 잘생긴 미공자가 구백 중 두 명을 해치울 정도로 고강한 무공까지 지녔다니……. 세상은 참 불공평하다니까.'

아란은 식사 도중 속으로 중얼거리며 연신 정유를 훔쳐 보았다.

확실히 정유는 가슴이 두근거릴 정도로 잘생긴 청년이 었다. 물론 설벽린 역시 둘째가라면 서러울 정도의 미남 이라 할 수 있었다.

하지만 설벽린에게는 잘생겼다고 하는 것보다는 오히 려 '아름답다'라고 하는 표현이 어울리는 반면, 이 정유는 사내답게, 남자답게 격정적으로 잘생긴 얼굴이었다.

'거기에다가 태극천맹에서도 꽤 높은 직위에 있다고 했 지? 이거, 신랑감으로는 최적의 후보자라고 할 수 있잖 아? 어디 한번 달려들어 봐?'

아란이 그렇게 진지한 고민을 하고 있을 때였다. 문득 강만리가 그녀를 보며 말했다.

"식사 끝나고 잠깐 이야기하자."

아란의 눈빛이 살짝 변했다.

식사하기 전에 위정전 입구에서 나눴던 철목가에 관한 이야기를 하려는 것이리라.

고굉이 눈치를 살피며 입을 열었다.

"저도 남을까요?"

"아니, 너는 가서 쉬어도 좋아."

고굉은 아란과 강만리를 번갈아 바라보고는 고개를 끄 덕이며 자리에서 일어났다.

"그럼 마침 식사도 끝냈으니까 이만 자리에서 일어나 겠습니다. 저도 앞으로 얼마 동안은 바쁘게 돌아다녀야 할 것 같습니다. 슬슬 흑룡방 재건을 위해 이것저것 힘써 야 하니 말입니다."

"아, 그래야지. 그럼 수고하게."

강만리의 무뚝뚝한 말에 고굉은 살짝 입술을 깨물고는 그대로 대청 밖으로 걸어 나갔다.

그 광경을 지켜보던 정유가 낮은 목소리로 말했다.

"아무래도 고굉이라는 자에 대해서는 유독 쌀쌀맞게 구는 것 같습니다."

"음, 그래 보이나?"

"네."

"잘 봤네. 일부러 쌀쌀맞게 굴고 있지."

"왜요?"

"그건 말이지."

강만리는 설명을 하려다가 문득 아직 식사 중인 소묘아 와 고로투를 보고는 입을 다물었다.

그러자 소묘아와 고로투도 눈치 빠르게 재빨리 식사를 마치고는 서둘러 자리에서 일어났다.

"먼저 일어나겠습니다."

"뒷마당에서 수련하고 있겠어요."

고로투와 소묘아는 확실히 처음보다 유창해진 한어(漢

語)로 말하고는 곧장 대청을 빠져나갔다.

"말이 느는 것보다 무공 느는 게 더 빠르다니까, 저 두 사람 모두. 유 노대의 말을 빌자면 일 년이면 이곳 경비 무사들 중 누구보다도 강해질 거라고 하더군."

"요족이라고 했었나요? 그 족속 사람들의 신체가 무공 익히기에 적합한가 봅니다."

"응, 그래서 군악은 아예 요족 사람들을 모두 데리고 와서 무공을 가르치는 게 어떨까? 하는 제의까지 했지."

"형님 생각은요?"

"당연히 안 된다고 했지. 거기에서 잘살고 있는 사람들을 굳이 이곳까지 데리고 올 이유가 없잖아? 게다가 강호무림이라는 곳이 애당초 사람 살아 갈 만한 동네도 아니고……"

강만리의 말에 정유는 쓸쓸하게 미소 지었다. 역시 강만리는 강호무림에 대해, 무림인들에 대해 상당히 냉소적인 태도를 견지하고 있었다.

"아, 이제 셋이 남았으니까 이야기를 하기로 하지."

강만리는 아란을 돌아보며 말했다.

"일전에 오대가문의 밀약(密約)에 대해서 살짝 언급한 적이 있었지?"

일순 아란은 움찔거렸다.

그녀는 재빨리 머리를 굴렸지만 그런 말을 했는지 기억

에 남아 있지 않았다. 딱 부러지게 기억하지 못하는 걸로 보아, 어쩌면 지나가는 말로, 전혀 의도하지 않은 채로 했을지도 몰랐다.

"글쎄요. 기억에 없는데요."

강만리는 가볍게 눈살을 찌푸리며 말했다.

"아니. 그렇게 말한 적이 있어."

"뭐, 그렇다고 치죠. 그런데요?"

"그 밀약이 뭐지?"

강만리가 물었다.

일순 아란은 저도 모르게 마른침을 꿀꺽 삼켰다. 그녀의 머리가 복잡하게 돌아가기 시작했다.

오대가문의 밀약에 관한 건은 정보를 사고파는 흑개방 내에서 특급에 해당하는 기밀이었다. 적절한 상대에게 제대로 판다면 황금 만 냥은 족히 받을 수 있는 정보였다.

'그걸 아무 대가도 없이 그냥 풀어? 아무리 내가 이 집 밥을 얻어먹고 있다고는 하더라도 그럴 수는 없잖아? 하지만 또 그렇게 매정하게만 굴 수도 없지. 어쨌든 나도 이 집의 식구가 되었으니까.'

그녀의 마음에 갈대처럼 쉬지 않고 이리저리 흔들리고 있을 때, 강만리는 다시 정유를 돌아보며 물었다.

"자네도 아나?"

마침 시녀들이 들어와 탁자 위 그릇들을 치우고 차와 말린 다과를 가져다주었다. 정유는 잠시 그녀들이 돌아가기를 기다렸다가 차를 따르며 입을 열었다.

"뭐, 세세한 부분까지는 모르지만 그 밀약이 어떤 건지는 대충 들어 알고 있습니다. 어쨌든 저도 태극감찰밀에서 제법 뼈가 굵었으니까요."

아란은 아차 싶었다.

'이거 너무 아까워하면서 가만히 듣고 있다가는 아예 똥값이 되게 생겼네. 그럴 바에는 내가 먼저……'

그렇게 결심한 그녀는 헛기침을 하며 입을 열었다.

"이십여 년 전, 정사대전을 승리로 이끈 오대가문이 제일 먼저 한 건 논공행상(論功行賞)이었어요. 즉, 자신들의 몫을 챙기는 일부터 시작한 거죠."

강만리는 당연하다는 듯이 말을 받았다.

"그야 승자의 권리이니까."

"그러니까요. 어쨌든 천왕가는 무공을 원했죠. 사마외도의 고수들을 상대하면서 압수하거나 빼앗은 비급들을 독식하기로 했죠."

"음, 듣기로는 애당초 익힌 심법의 계통이 다르면 아무리 상승 무공을 익혀도 그 제대로 된 위력을 발휘할 수가 없다고 한 것 같은데?"

"당시 천왕가는 자신이 있었던 겁니다."

강만리의 질문에 정유가 대답했다.

"사마외도의 상승 무공과 자신들의 무공을 조화시켜 좀 더 완벽하고 완전한 최강의 무공을 만들 자신이요."

정유는 어깨를 으쓱거리며 말을 이었다.

"뭐, 물론 지난 이십여 년 동안 그런 무공을 만들어 내지는 못하고 있지만 말입니다."

"흠, 그렇군. 그래, 다른 가문들은?"

강만리의 시선이 다시 아란에게로 돌아왔다.

아란은 못마땅하다는 듯이 한 차례 정유를 노려보고는 천천히 입을 열었다.

"금해가는 재물을 원했어요. 몰락한 사파 가문이나 문파의 재물은 물론, 태극천맹의 재정까지 말이죠."

"그게 무공보다 더 크지 않나?"

강만리가 고개를 갸웃거리며 물었다.

"결국에는 돈이 최고잖아? 사람은 물론, 귀신도 부릴 수 있는 게 돈이니까 말이지."

"그 말도 일리가 있습니다만 무림인들은 대체로 돈에 관해서는 초월한 편이니까요."

이번에도 아란보다 정유의 대답이 빨랐다.

"먹고살 수 있을 정도면 돈은 충분하다, 무인에게 필요한 건 돈이 아니라 무공이다, 라는 게 그들, 아니 우리들의 평소 사고방식이니까요."

"흠. 하여튼 이상한 족속이라니까, 무림인들은."

"이제 형님도 그렇게 말씀하시면 안 됩니다. 형님도 어엿한, 그리고 당당한 무림인 중의 한 명이니까 말입니다."

"그래서 요즘 소화가 잘 되지 않아."

강만리는 이맛살을 모으며 투덜거렸다.

"솔직히 말해서 나는 무림인이 되기 싫거든. 그저 내 식구들과 평범하게 잘살고 싶을 뿐이야. 그런데 희한하게도 내가 되기 싫어할수록 점점 더 무림인이 되어 가는 것 같다는 말이지. 그러니 소화가 잘될 리가 없지."

"그건 강 오라버니께서 뭘 모르고 하시는 말씀이에요."

이번에는 아란이 끼어들었다.

"강호 무림이라는 곳이 따로 존재하는 게 아닌 것처럼, 무림인이라는 것 역시 따로 존재하는 게 아니거든요. 우리가 사는 이 땅이 곧 강호 무림인 거고, 그런 의미에서 이 땅에서 살아가는 우리가 곧 무림인이라는 거죠. 무공을 익히고 칼과 검을 휘둘러야 무림인이 되는 게 아니라는 거예요."

"으음."

강만리는 아란의 열변에 잠시 입을 다물었다. 정유도 새삼스럽다는 눈빛으로 그녀를 바라보았다.

잠시 생각하던 강만리가 천천히 고개를 끄덕이며 입을

열었다.

"그러니 산다는 것 자체가 투쟁의 행위인 게고 그렇게 살아가는 곳이 곧 강호 무림인 게며 그렇게 살아가는 우리가 강호 무림인이라는 뜻이로군. 흠, 일리가 있어. 나름대로 수긍이 가는군. 한 수 배웠네."

강만리의 말에 아란은 살짝 얼굴을 붉혔다. 그러고는 이내 새초롬한 표정을 지으며 화제를 다시 오대가문으로 돌렸다.

"건곤가는 사람을 원했어요."

"사람?"

"네. 포로나 인질로 잡은 사마외도의 고수들 말이에요. 그들에 대한 전권을 달라고 했죠."

아란의 말에 강만리는 이해할 수 없다는 듯 고개를 갸우뚱거리며 중얼거렸다.

"포로에 대한 전권? 즉 그들에 대한 생사여탈권을 원한다는 건가? 왜? 모두 죽이려고? 아니면 살려 줘서 뭔가를……. 음? 설마 그들을 건곤가의 수하로 만들 속셈이었던 건가?"

강만리는 무릎을 치며 말했다.

"맞아요."

아란이 한숨을 쉬며 고개를 끄덕였다.

"참, 생긴 외모와는 달리 영민하시다니까요."

"누가? 내가?"

"그래요. 외양만 보면 멧돼지나 작은 곰처럼 보이는데, 머리 돌아가는 걸 보면 여우나 너구리가 따로 없다니까요."

강만리의 작은 눈이 더 작아졌다.

"칭찬이야, 비웃는 거야?"

아란이 활짝 웃으며 말했다.

"설마 비웃는 말이겠어요? 당연히 칭찬이죠."

2. 견원지간(犬猿之間)

그렇게 활짝 웃는 얼굴로 강만리의 입을 봉쇄한 후 아란은 계속해서 말을 이어 나갔다.

"뭐, 어쨌든 오라버니 생각이 맞아요. 건곤가는 포로가 된 사마외도의 고수들을 자신의 수족으로 활용할 계획이었던 거죠. 그리고 어느 정도 그 계획이 성공했구요."

"음, 그래. 지금 막 떠올랐는데 예추가 그랬거든. 건곤가의 소가주 곁에 과거 구천십지백사백마였던 자들이 있었다고 말이지."

"맞아요. 물론 협박을 했는지, 설득을 했는지, 아니면 고문을 했는지 어떤 방법을 썼는지 알 수는 없지만 말이에요. 확실히 건곤가는 그 포로들을 자신들의 수족으로 활용했어요. 지금도 활용하고 있고요."

"으음, 이야기를 들어 보면 들어 볼수록 건곤가가 두려워지는군. 천지회인지 경천회인지 하는 것도 그렇고 말이지."

"그만큼 건곤가주 천예무의 야심이 크다는 거죠."

강만리는 다시 정유를 돌아보며 물었다.

"그래? 천예무라는 자가?"

정유는 잠시 생각하다가 입을 열었다.

"세상에서 가장 야심이 크고 야망이 넘쳐흐르는 자를 셋 꼽으라면 반드시 그중 한 명으로 꼽힐 겁니다. 또 그럴 능력과 그릇이 되는 인물이기도 하지요."

"호오, 대단하군."

"어쨌거나 자신의 욕망과 야심을 이루기 위해서 단 하나뿐인 아들을 스스로 죽이지 않았습니까?"

"으음, 그건 예추를 통해 들어서 알고 있어. 뭐, 나로서는 도저히 믿어지지 않는 일이지만."

강만리는 길게 한숨을 쉬고는 다시 아란을 돌아보았다. 아란은 차를 한 모금 마신 후 계속해서 이야기했다.

"그리고 무적가는 당시 암살 집단이었던 비선(秘線)과 사선행자(死線行者), 그리고 그들을 가르쳤던 교부(敎父)들을 원했죠. 사실 당시 비선과 사선행자들에 대한 계획

을 세우고 실행에 옮긴 게 무적가였기에 다들 그들의 주
장을 타당하게 받아들였어요."

"아, 그 당시의 비선과 지금 본 맹의 비선은 전혀 다른
부류입니다."

"알고 있네, 그 정도는."

강만리는 정유에게 타박하듯 대꾸를 한 다음 아란에게
물었다.

"그럼 철목가는?"

"하나의 조직을 만들어서 태극천맹 내에 두고 그 조직
을 운영한다는 게 철목가의 요구였어요."

"응?"

강만리는 고개를 갸웃거렸다.

"그건 다른 가문들에 비해서 상당히 작은 요구인 거 같
은데? 태극천맹의 전권도 아니고, 한 조직을 만들어 운
영하겠다니 말이지."

"그 부분은 저보다 정 오라버니께서 더 잘 알고 계실
거예요."

아란은 생긋 웃으며 정유를 돌아보았다.

물론 그 말은 정유가 태극감찰밀의 중요 보직에 있기
때문에 한 것이지, 철목가의 가주 정극신이 그의 부친이
기 때문에 한 말은 아니었다. 애당초 그녀는 아직 정유와
정극신의 사이에 대해서 알지 못하고 있었으니까.

정유는 침착한 표정으로 차를 마신 후 천천히 입을 열었다.

"당시 철목가는 재산도 있고, 사람도 넘쳐 났고, 무공에 대한 자부심도 철철 흐르고 있었습니다. 무엇보다 논공행상 운운하며 이리 떼처럼 이것저것 뜯어먹으려는 행위 자체를 마음에 들어 하지 않았죠. 그래서 특별하게 뭘 요구하느니 그런 애매하고 실질적이지 않은 조건을 내세운 겁니다."

"흠, 그럼 그 조직이라는 게 유명무실한 건가?"

"희한하게도 그게 또 그렇지는 않게 되더라고요."

정유는 어깨를 으쓱거리며 말했다.

"철목가에서 만든 조직은 용유문(龍遊門)이라고 해서, 처음에는 태극천맹 본산에 있는 노고수들의 휴식 공간처럼 만들어졌습니다. 그런데 그게 해가 지나고 연식이 쌓이면서 상당히 끈끈한 유대 관계를 지닌 단체로 변했죠. 그것도 꽤 큰 압력을 행사할 수 있는 단체로 말입니다."

태극천맹은 오대가문은 물론, 구파일방과 강호의 무수한 백도정파의 사람들이 한데 어울려 창설한 단체였다.

각 문회방파에서는 본산의 장로급 인사들을 보내 자신들의 의견을 개진하기도 하고, 원로회에 참석하여 의사 결정을 하기도 한다.

그 장로급 인사들은 사오 년 주기로 계속 새로운 인물

들로 바뀌는데, 한 번 용유문에 가입한 인사들은 천맹을 떠나 자신들의 문파로 돌아가서도 그 자격을 계속 유지하게 된다.

그렇게 수십 년의 세월이 흐르자 어느덧 용유문은 원로회의 회원들보다 열 배는 많은 문인들을 보유하게 되었다.

"비록 아직까지는 별다른 힘을 행사하지 않았지만, 그들이 한 번 마음먹고 움직인다면 태극천맹 자체가 크게 흔들리고 또 무림 전체가 커다란 소용돌이에 휘말리게 될 수도 있습니다."

용유문에 가입한 무림 명숙들의 수는 대략 천여 명. 그들 중에는 문주(門主)나 방주(幇主)가 된 이도 있었고, 혹은 문주, 방주의 웃어른이 된 이들도 있었다.

그러니 만약 그들이 용유문의 뜻을 받들어 하나로 힘을 모은다면, 그때는 가히 상상조차 할 수 없는 격변이 일어날 수밖에 없었다.

'그렇군. 용유문의 뜻과 의지에 따라서 어쩌면 태극천맹이 붕괴되고 새로운 거대 조직이 탄생할 수도 있겠구나.'

강만리는 코를 만지작거리며 생각했다.

'만약 그걸 노리고 철목가의 가주가 애당초 용유문이라는 친목 단체를 만들었다면…… 그는 우리가 생각하는

것보다 훨씬 더 거물인 거겠지.'

　알려진 바에 따르자면 기분이 내키는 대로 움직이고 손을 휘둘러서 그저 광포하고 거친 인상만 주는 인물이 바로 철목가의 가주 정극신이었다.

　하지만 그런 포악한 성격만으로는 저 오대가문 중 하나인 철목가를 수십 년 동안 지배하고 다스릴 수는 없는 것이다. 분명 정극신 역시 다른 가주들 못지않은 그릇을 지니고 있을 게 분명했다.

　잠시 상념에 젖었던 강만리는 다시 아란을 돌아보며 입을 열었다.

　"그게 전부야? 오대가문의 밀약이라는 게?"

　아란은 재빨리 머리를 굴렸다. 더 이상 이야기하지 않으려면 예서 끝내야 했다.

　그녀가 말했다.

　"설마 그게 전부일 리가 있겠어요?"

　그녀는 천천히 고개를 저으며 말을 이었다.

　"그렇게 논공행상이 끝난 후 그들은 새로운 밀약을 정하기로 했죠. 사실 오대가문이라고 해서 하나로 묶여 불리기는 하지만, 어디까지나 그들은 서로를 견제하고 경외하며 배척하는 관계이거든요. 특히 무적가와 철목가는 오랜 시절 동안 견원지간(犬猿之間)이었고요."

　"호오, 무적가와 철목가가?"

놀란 듯 중얼거리는 강만리의 눈빛이 한순간 예리하게 빛났다. 아란은 전혀 눈치채지 못하고 계속해서 말을 이어 나갔다.

"네. 무슨 연유인지는 모르겠지만 어쨌든 앙숙으로 유명하답니다. 반면 철목가와 금해가는 상당히 사이가 좋기로 유명하고요."

"흐음, 오대가문이라고 해서 끈끈한 협력 관계가 계속 유지되는 게 아니었군그래."

"그래요. 예를 들자면 오륙 년 전에 천왕가의 가주 사양곤이 난처한 지경에 처한 적이 있었어요. 사천 성도부의 이름 없는 전직 포두 때문에 말이죠."

강만리의 귓불이 살짝 달아올랐다.

"그때 사양곤이 가주 회의를 열고 다른 가주들에게 도움을 요청했죠. 하지만 일언지하(一言之下)에 거절당했어요. 바로 그 밀약에 의해서 말이에요."

"으음, 그런 적이 있었군그래."

"네. 만약 그때 다른 가주들이 사양곤을 도와주기로 했다면…… 아마 지금 우리가 이렇게 마주 앉아 대화를 나눌 일이 전혀 없었을 거예요."

"뭐, 그랬겠지."

강만리는 어색한 표정을 지으며 퉁한 목소리로 말했다.

"그럼 이제 그 밀약이라는 거에 대해서 이야기하지."

아란은 차를 홀짝이며 투덜거리듯 종알거렸다.

"아, 이건 진짜 황금 만 냥이 훨씬 넘는 알짜배기 정보인데…… 오라버니니까 공짜로 전해 드리는 거예요."

"그래. 고맙다."

"흠. 그러니까 논공행상이 끝나고 다섯 가주들은 새로운 밀약 세 가지를 정했어요. 자신의 가문에 위협이 되지 않는 이상 다른 가문의 일에 관여하지 않는다, 라는 게 첫 번째 약속이에요."

그렇게 아란이 이야기한, 오대가문의 밀약은 다음과 같았다.

—첫째.

자신의 가문에 위해가 되지 않는 이상 다른 가문의 일에 관여하지 않는다.

둘째.

자신의 가문에 위해가 되지 않는 이상 다른 가문을 도와주지 않는다.

셋째.

자신의 가문에 위해가 되지 않는 이상 다수의 의견을 존중하고 따른다.

아란은 말했다.

"그러니까 사양곤이 도움을 요청했을 때, 밀약의 두 번째 원칙, 자신의 가문에 위해가 되지 않는 일이기에 다른 가문을 도와주지 않는다는 조건을 들어 그의 도움을 거절했던 거예요."

강만리는 잠자코 듣고 있다가 문득 새롭다는 눈빛으로 아란을 바라보며 말했다.

"흑개방이라는 곳이 참 대단하군그래."

갑작스러운 말에 아란이 눈을 크게 떴다.

"네? 왜요?"

"오대가주의 회담이라면 상당히 은밀하고 신중하게 열렸을 텐데, 마치 그 자리에 참석했던 것처럼 세세한 것까지 다 파악하고 있잖나? 으음, 그동안 내가 흑개방이나 황계 같은 정보 조직에 대해서 너무 과소평가하고 있었던 것 같군그래."

"이제라도 아셨으면 됐어요. 그러니 저더러 만들라고 하신 정보 조직이 결코 하루 이틀 만에 되는 게 아니라는 것도 잘 알아주세요."

"알았다. 잘 알았다."

강만리는 크게 고개를 끄덕인 후 습관처럼 엉덩이를 긁적이며 입을 열었다.

"어쨌든 무적가와 철목가 사이가 그리 좋지 않단 말이지?"

"네. 물론 왜 그렇게 사이가 틀어졌는지는 저도 잘 몰라요. 흑개방 내에 정보가 없거나, 아니면 방주만 열람할 수 있는 초특급에 해당하는 비밀일 수도 있고요."

"뭐, 그것까지 알 필요는 없고."

강만리는 아란을 바라보며 말했다.

"네가 할 일이 생긴 것 같다."

아란의 눈이 커졌다.

"정보 조직을 만드는 것 말고요?"

"그래. 그것 말고 새로운 일이다."

아란이 입을 내밀며 투덜거렸다.

"아아, 이래서 능력이 많은 게 죄라니까요."

3. 천의무봉(天衣無縫)

"올해는 풍년이겠군. 이렇게 눈이 많이 내리는 걸 보니 말이야."

유 노대는 삿갓을 들고 하늘을 올려다보며 중얼거렸다. 어제부터 쏟아진 함박눈은 이제 관도는 물론 너른 평야 너머 지평선까지 새하얗게 뒤덮고 있었다.

"풍년 운운하다가 얼어 죽겠습니다."

설벽린이 투덜거리며 삿갓을 흔들었다. 삿갓 위에 쌓여

있던 눈이 후두둑! 하고 떨어졌다.

"슬슬 쉴 곳을 찾아야 할 것 같은데요."

화군악이 삿갓을 들어 올리고 주위를 살폈다.

아닌 게 아니라 날은 점점 어두워지고 있었다. 하룻밤 묵을 곳을 찾지 못한다면 이 관도 한복판에서 밤을 지새우게 되는 불상사가 생길 수 있었다.

"한 시진 정도 더 가면 유하촌(柳河村)이라고 마을이 나올 겁니다. 백여 가호(家戶)밖에 되지 않는 조그만 마을이지만 그래도 여행객이 묵을 수 있는 객잔이 한 곳 있으니, 오늘은 게서 쉬는 게 좋을 것 같습니다."

화군악은 그동안 여행을 하면서 몇 차례 유하촌에서 묵은 적이 있는 까닭에 잘 알고 있다는 듯이 말했다.

"뭐, 이 근처 지리는 자네가 잘 알고 있을 테니까."

유 노대가 고개를 끄덕였다.

"그럼 바로 또 달려 볼까요?"

설벽린이 몸이 근질거린다는 듯 말하자 유 노대가 피식 웃으며 물었다.

"그렇게 마음에 드누?"

"당연하죠."

설벽린은 활짝 웃으며 대답했다.

"아주 제 몸에 맞춘 듯 딱 맞는 경공술이거든요. 그걸 더 완벽하게 펼치기 위해서는 아무래도 꾸준히 연습해야 하지 않겠습니까?"

"허허, 참."

유 노대는 설벽린의 너스레가 싫지 않다는 듯이 너털웃
음을 흘렸다.

성도부 화평장을 나선 게 이틀 전의 일이었다. 그동안
유 노대는 여행길이 심심하거나 적적하지 않도록 소일거
리 삼아 설벽린과 화군악에게 경공술을 가르쳐 주었다.

"운룡대팔식(雲龍大八式)과 그 궤는 다르지 않을 걸세.
어차피 내가 창안했다 할지라도 결국에는 곤륜의 그것에
서 비롯된 경공술이니까."

용호환영무(龍虎幻影舞)라고 했다.

허공을 날 때는 한 마리 용이 유영하듯 빠르고 우아하
며 호쾌하게, 지면을 달릴 때는 호랑이의 그것처럼 은밀
하고 날렵하며 흉포하게 움직이는 경공술이 바로 용호환
영무였다.

놀랍게도 설벽린은 솜이 물을 빨아들이듯 그 용호환영
무를 빠르게 습득했다.

"설마 예전에 배운 적이 있었던 게 아닙니까?"

화군악이 깜짝 놀라 당황할 정도로 설벽린의 숙련도는
매우 뛰어나 불과 이틀 만에 용호환영무의 정수를 깨우
쳤던 것이다.

이제 남은 건 그 정수를 완벽하게 내 것으로 소화하는

일뿐이었다. 그건 오로지 용호환영무를 펼치고 또 펼쳐서 몸에 각인시키듯 기억하게 만드는 방법밖에 없었다.

그래서 설벽린은 시간이 날 때마다 기회가 있을 때마다 용호환영무를 펼치고 있었다.

"그럼 먼저 갑니다!"

설벽린은 말이 끝나기도 무섭게 지면을 박차고 날아올랐다. 한차례 눈보라가 일더니 이내 그의 신형은 폭설을 뚫고 한 마리 용이 되어 허공 속 저편으로 사라졌다.

"허허. 저리도 좋을꼬? 마치 세 살배기 어린아이가 처음 장난감을 받은 것 같군그래."

"좋아하는 게 당연하죠."

화군악이 미소를 지으며 유 노대의 말을 받았다.

"평소 다른 형제들에 비해 무공이 떨어지는 걸 상당히 부끄러워했거든요. 그런데 유 노사께 그런 절기를 전수받았으니까 당연히 기뻐할 수밖에요."

"절기는 무슨. 그저 약간 재주를 부린 발재간에 불과할 뿐이야."

"그리 말씀하지 않으셔도 됩니다. 용호환영무는 제가 익혔던 그 어떤 경공술보다도 뛰어나거든요. 무엇보다 그 활용 범위가 넓어서 경공술은 물론이거니와 심지어 보법으로까지 사용할 수 있다는 게 그저 놀라울 따름입니다."

"그리 말해 주니 고맙군그래."

유 노대가 잔잔히 웃으며 말했다.

"용호환영무를 만들 때 바로 그 점에 중점을 두었거든. 굳이 경공술, 경신술, 신법, 보법 하면서 부류를 나누느니, 하나의 완성체를 만들어 보자 하고 말일세. 때와 장소에 따라서 경공술이 되기도 하고 보법으로 사용할 수 있게 말이지."

유 노대는 화군악이 그런 제 의도를 이해해 준 게 꽤 기쁜 듯한 표정이었다. 그는 다시 설벽린이 사라진 방향으로 시선을 돌리며 말했다.

"어쨌거나 놀라운 건 저 기생오라비처럼 생긴 녀석이 불과 이틀 사이에 용호환영무의 정수를 깨우쳤다는 사실이네."

화군악이 고개를 끄덕이며 동의했다.

"그래요. 확실히 용호환영무에 대한 형님의 이해력과 습득력은 탁월하더군요. 다른 무공들과는 달리 말입니다."

화평장이 세워지고 다섯 명의 사내들이 모여 살게 된 이후, 그들은 서로에게 무공을 전해 주고 무리(武理)와 무도(武道)에 대해 논의하고 탐구했다. 그렇게 자신의 장점을 전수하고 약점을 보완하면서 사내들의 실력은 일취월장하게 되었다.

강만리가 내공의 운용에 대해서 새로이 눈을 뜨게 된 것도, 화군악과 장예추가 담우천과의 대화를 통해 각자 태극혜검과 제왕검해애 대한 숙련도를 높인 것도, 담우천의 무공이 태극혜검과 제왕검해를 통해 새로운 경지에 오른 것도 모두 그 토론과 탐구를 통해 이룬 성과들이었다.

하지만 설벽린은 조금 달랐다.

애당초 설벽린은 무공이 그리 뛰어난 편이 아니었다. 그는 몇 가지 신법과 경공술, 잠입술과 변장술 등에 특화되어 있었을 뿐이었고, 그런 상황에서 다른 네 명의 순도 높은 토론을 따라가기 벅찰 수밖에 없었다.

그런 연유로 설벽린은 저 무리의 회합에서 늘 겉돌 수밖에 없었고, 나중에는 아예 장원 운영을 핑계로 그 회합에 참석하지 않기 일쑤였다.

그렇게 무공에 관한 한 철저하게 의기소침하고 있던 설벽린에게 유 노대의 가르침은 천상의 꿀과 같이 달콤했으며, 공청석유(空靑石油)처럼 빠르게 그 효능을 보였다.

사실 용호환영무는 유 노대가 요족의 소묘아에게 가르쳐 주기 위해 창안한 경공술이었다. 애당초 소묘아를 직전 제자로 삼을 수가 없었으니 곤륜파의 비전 절기인 운룡대팔식을 전수해 주기 곤란했고, 그래서 운룡대팔식을 기본으로 삼아 새롭게 만든 경공술이 용호환영무였다.

운룡대팔식의 가장 큰 특징은 허공에서 방향을 자유자재 변환할 수 있다는 점이었다.

그게 얼마나 대단한 일인가 하면, 신안백과 강만리의 싸움을 통해 충분히 알 수 있었다. 당시 신안백은 허공에서 두 번 방향을 틀고는 더 이상 진기가 이어지지 않아 강만리의 공격을 피할 수가 없었고, 그래서 손을 들어 야우린을 막으려 했던 것이다.

만약 신안백이 운룡대팔식과 같은 효능을 지닌 경공술을 익혔더라면 다시 허공에서 방향을 틀어 강만리의 공격을 피할 수 있었을 테고, 결국 그 싸움은 그렇게 간단하게 끝나지 않았을 일이었다.

또 다른 운룡대팔식의 특징은 진기의 소모를 최소화하면서 경공술의 묘용을 최대화하는 데 있었다. 그리하여 마음껏 운룡대팔식으로 허공을 날아다니면서 쉴 새 없이 공격을 퍼부을 수가 있었다.

용호환영무에는 바로 그 두 가지 특징이 고스란히 담겨 있었다.

'정말이지 내게 딱 맞춘 듯한 경공술이지 뭐야.'

설벽린은 신바람을 내며 관도 위 허공을 날았다. 매서운 바람에 나풀거리는 눈발을 따라 촐싹대 보일 정도로 여러 차례 허공에서 방향을 바꾸고 선회했다. 그 들고 나감을 발걸음으로 표현하면 보법이 되는 것이고, 오로지

직선으로 표현하면 경신술이 되는 게다.

참으로 묘한 무공이었다.

하나의 틀 안에 온갖 조화(造化)가 담겨 있었다. 또 서로 어울릴 것 같지 않은 그 기기묘묘한 움직임들이 거대한 하나의 무질서 속에서 조화(調和)를 이루고 있었으니, 그야말로 경공술 하나로 도(道)를 표현해 내고 있는 것이다.

즉, 이 용호환영무는 곤륜파의 도법과 도리에 그간 유노대가 깨달은 도의 이치를 한껏 함축시켜 표현해 낸 무공이라 할 수 있었다.

'이 무질서해 보이는 발놀림을 손으로 표현해 보면 어떻게 될까? 그럼 그 자체로 권법이 되고, 장법이 되는 건 아닐까? 그렇게 된다면 무기로도 응용할 수 있겠구나. 검을 들고 표연(表演)하면 곧 검법이 될 것이고, 창을 들고 움직이면 이내 창술이 될 테니까 말이지.'

설벽린은 허공을 날며 문득 고개를 갸웃거렸다.

'응? 그럼 이거야말로 천의무봉(天衣無縫) 그 자체, 능히 천하제일 무공이라 할 수 있겠구나! 푸하하하! 유 노대가 내 생각을 전해 들으면 미친 녀석이라고 생각하겠다.'

설벽린은 그런 얼토당토않은 생각을 하면서 한참 동안 허공을 날다가, 이윽고 속도를 줄이며 천천히 허공에서 내려왔다. 마침내 유하촌으로 들어서는 마을 입구에 당도한 것이다.

　그는 행여 행인들이 볼까 봐 얼른 허공에서 내려와 태연자약한 걸음걸이로 마을 어귀 안으로 들어섰다.

9장.
폭설(暴雪)의 유하촌(柳河村)

그것은 본능이었다.
등 뒤에서 호랑이의 기척을 느낀 사냥꾼처럼.
유 노대는 정극신의 압도적인 패기를 느끼자마자
스스로를 보호하기 위한 투기를 끌어올렸다.

1. 유하객잔(柳河客棧)

폭설이 내리고 있는 유하촌의 거리는 인적이 끊겨 있었다. 설벽린은 이 유하촌이 초행길이지만 그래도 생각보다 쉽게 객잔을 찾을 수가 있었다.

인적 끊긴 거리 저편에 불야성을 이루고 있는 건물 한 채가 있었다. 시끌벅적한 소리와 음식 냄새, 술 향기가 폭설을 뚫고 흘러나왔다. 바로 그 건물이 이곳 유하촌 유일한 객잔일 것이다.

"폭설 때문에 관도를 오가던 유객들이 모두 객잔으로 몰려들었나 보네."

설벽린은 중얼거리면서 서둘러 객잔으로 향했다. 객잔

입구에는 유하객잔(柳河客棧)이라고 적힌 깃발이 세찬 눈바람에 펄럭이고 있었다.

　문을 열자 마침 누가 농담을 했는지 한바탕 웃음소리가 뜨거운 공기와 함께 와락 덮쳐들었다.

　설벽린은 문을 닫으며 눈살을 찌푸렸다.

　객잔 대청은 이미 손님들로 꽉 차서 앉을 자리는커녕 발 디딜 공간조차 없었다.

　"세 사람인데."

　설벽린은 음식 시중을 드느라 정신없이 돌아다니는 점소이 하나를 겨우 붙잡고 말했다. 어린 점소이는 넋이 빠진 얼굴로 고개를 흔들며 말했다.

　"죄송합니다. 이미 만석이 넘어서요."

　"별채도 없어?"

　"네. 별채도 손님들이 가득 들어찼습니다. 아무래도 자리를 내어 드릴 수 없을 것 같네요."

　점소이는 그렇게 사과한 후 다시 빠른 걸음으로 주방을 향해 달려갔다.

　'아무리 눈이 많이 내린다고는 하지만 이 한적한 마을에 이렇게 많은 유객들이 한꺼번에 모일 일이 없을 텐데……'

　설벽린은 내심 중얼거리면서 대청을 둘러보았다. 일순 그의 얼굴이 창백하게 굳어졌다.

'어라, 이들은······?'

뒤늦게 알아차린 것이다.

이 객잔 대청을 가득 채운 사람들 모두 한 집안 사람이
라는 사실을. 그것도 설벽린과는 절대로 마주치면 안 되
는 사람들이라는 사실을.

설벽린은 황급히 몸을 돌려 객잔을 빠져나가려 했다.
그때였다.

"응? 설 형 아냐?"

등 뒤에서 누군가 알은체하면서 그를 불러 세웠다.

'이런, 빌어먹을.'

설벽린의 등골을 타고 식은땀이 흘러내렸다. 벌어지면
안 되는 일이 벌어지고 있었다.

'얼른 도망쳐야겠다.'

설벽린은 애써 모른 척하고 다시 문을 향해 발걸음을
옮기려 했다.

하지만 그는 채 두 걸음을 걷지 못하고 누군가의 손길
에 잡혀 버렸다. 그의 어깨를 낚아챈 사람이 껄껄 웃으며
말했다.

"뭐야? 날 잊은 겐가? 날세, 조대평(曺大平)."

설벽린의 얼굴이 일그러졌다. 심장이 쿵쾅거리고 식은
땀이 흥건하게 그의 등을 적셨다.

그는 천천히 몸을 돌렸다.

"아이고, 형님."

언제 얼굴을 일그러뜨렸냐는 듯 설벽린은 활짝 웃고 있었다. 그는 제 어깨를 낚아챈 사람의 얼굴을 확인하고는 그럴 줄 알았다는 표정을 지으며 유쾌하게 말했다.

"이게 누구십니까? 조 형님께서 이곳에는 어쩐 일로 오셨답니까?"

조대평은 껄껄 웃으며 말했다.

"그러는 설 형이야말로 이 외진 마을에 무슨 일이신가? 설마 또 누군가를 속여 골동품을 싸게 구입하려는 겐가?"

"하하. 속이다니요. 그저 가치를 모르고 아무렇게나 굴러다니는 물건을 적당한 값에 사서 제대로 된 임자에게 넘길 따름이죠."

"하하, 그 언변은 여전하군그래. 그래, 자리가 없어서 돌아가려는 게였지? 잠깐만 기다리게. 자리를 내어 줄 테니."

조대평은 여전히 설벽린의 어깨를 꽉 잡은 채 주위를 둘러보다가 식사를 마치고 수다를 떨고 있는 한 무리를 향해 소리쳤다.

"다 먹었으면 얼른 자리에서 일어나 주변 경계를 서라고! 이곳에서 농땡이 부리지 말고."

"네, 조 당주."

"안 그래도 일어나려고 했습니다."

젊은 무인들이 머쓱한 표정을 지으며 자리에서 일어나 객잔 밖으로 향했다.

"하하, 이리 오게. 같이 한잔해야지."

조대평은 설벽린을 붙잡고 창가 쪽 자리로 향하는 동시, 점소이를 향해 소리쳤다.

"우육면 두 그릇하고 만두 한 접시, 그리고 술 한 병 가져오도록!"

설벽린은 질질 그에게 끌려가면서 헤헤 웃으며 말했다.

"저기, 저도 오래간만에 조 형님을 뵈었으니까 한잔 거하게 나누고 싶지만 마침 일행들이 있어서 말입니다."

"일행? 그럼 예서 같이 식사를 하면 되겠네. 항주에서 설 형에게 빚진 것도 있고 하니까 내가 한턱 쏨세."

"아이구, 겨우 그 정도 일로 빚이라니요? 외려 제가 형님에게 신세를 진 게 얼마인데 말입니다."

"하하, 알고 있으면 됐네. 자, 앉게. 그러니까 햇수로 벌써 이 년인가?"

조대평은 억지로 설벽린을 자리에 앉혔다.

설벽린은 어쩔 도리 없이 자리에 앉으며 주위를 두리번거렸다. 언뜻 봐도 이삼백 명은 족히 되는 무인들이 일층, 이 층 대청을 가득 메우고 있었다.

'빌어먹을. 외나무다리에서 원수를 만난다고 했던가? 하필이면 이곳에서 철목가 사람들과 마주치다니……'

설벽린은 내심 한숨을 쉬었다.

믿을 수 없는 일이었다. 철목가 사람들을 피해서 머나 먼 사천 성도부까지 도망쳐 왔던 그였다. 그런데 이 남녕 의 한적한 유가촌이라는 조그만 마을에서 이 철목가 수 백 명의 무사들과 마주친 것이다.

그야말로 빼도 박도 할 수 없는 형국인 셈이다.

'게다가 또 하필이면 이 멍청이와 마주치다니.'

설벽린은 은근슬쩍 조대평을 노려보았다.

조대평은 철목가의 당주로, 설벽린이 골동품을 사고파 는 일로 철목가와 교류를 시작하면서 알게 된 인물이었 다.

그 와중에 설벽린은 조대평에게 몇 개의 골동품을 시세 보다 훨씬 싸게 산 다음 항주의 고위 인사들에게 비싸게 판 전력이 있었는데, 훗날 그 사실을 알게 된 조대평이 껄껄 웃으며 이렇게 말했다고 한다.

"그를 나무랄 수는 없지. 속는 놈이 바보이니까. 원래 장사라는 게 다 그런 게 아닌가?"

이후 설벽린이 철목가 가주의 둘째 부인과 정을 통하다 가 도망치게 된 후 까마득하게 잊고 있던 인연이었는데, 이런 한적한 마을의 객잔에서 새롭게 마주치게 된 것이다.

'설마 내 속사정을 알고 있는 이들은 오지 않았겠지?'

설벽린은 두근거리는 가슴을 애써 진정시키며 겉으로는 여전히 태연한 표정을 지은 채 조대평에게 말을 건넸다.

"그러나저러나 언뜻 봐도 삼백 명은 족히 되어 보이는데 무슨 일로 항주 철목가의 무사들이 이곳 남녕 일대까지 오신 겁니까?"

조대평이 문득 나지막한 목소리로 말했다.

"우리만 온 게 아니네. 가주께서 직접 출정하셨다네."

설벽린의 얼굴이 굳어졌다.

"가주라면…… 정 가주 말씀이십니까?"

"하하. 우리 철목가에 정 가주 말고 또 다른 가주가 있을 리가 없지 않나?"

"아니, 무, 무슨 일로 가주께서 직접 이 많은 무사들을 이끌고 예까지 오신 건데요?"

"그건 비밀일세."

조대평은 고개를 저으며 말했다.

"아무리 자네라 하더라도 본가의 군령을 말해 줄 수는 없지 않겠나?"

"그야 물론이죠. 어이쿠, 우리 일행이 왔습니다."

설벽린은 입구 쪽으로 시선을 돌리며 말했다.

막 문이 열리고 한 명의 노인과 한 명의 젊은이가 객잔 안으로 들어서다가 걸음을 멈췄다. 수많은 무사들로 가득 찬 객잔 안의 모습에 꽤 놀란 얼굴들이었다.

"그럼 저도 이만……."

설벽린이 막 자리에서 일어나려 하자, 조대평이 손을 뻗어 그를 제지했다.

"허허, 그게 무슨 말인가? 내가 한턱낸다고 하지 않았나? 얼른 이리로 모시게."

설벽린은 조대평의 강권을 이길 수 없었다. 결국 그는 속으로 한숨을 쉬며 손을 들어 일행을 불렀다.

노인, 유 노대와 청년 화군악이 설벽린을 확인하고는 살짝 고개를 갸웃거렸다. 하지만 그들은 곧장 사람들 사이를 비집고 걸어와 자리에 앉았다.

설벽린이 서로를 소개했다.

"이쪽은 내 동료들로 유 노대, 화 공자라고 합니다. 그리고 이쪽은 철목가의 조 당주이십니다."

일순 화군악이 움찔거렸다.

'철목가?'

하지만 그는 태연한 얼굴로 조 당주라는 사내를 바라보았다.

삼십대 초중반의, 호쾌하게 생긴 사내였다. 말투도 시원시원하고 성격도 좋은 게 뒤끝이 전혀 없는 자 같았다. 반면 흐트러짐 없는 자세나 불쑥 튀어나온 태양혈로 보건대 상당한 무위를 지닌 고수임이 분명했다.

2. 압도적인 기세

조 당주가 두 손을 모으며 인사했다.

"하하, 만나서 반갑소. 조대평이라고 하오."

"유 노대라 불러 주십시오."

"화 모입니다. 잘 부탁드립니다."

세 명이 통성명을 나누는 동안 점소이가 우육면 두 그릇과 만두 한 접시, 그리고 백주 한 병을 가지고 오자 조대평이 다시 우육면 두 그릇과 오리구이, 술 한 병을 더 주문했다.

조대평은 술을 따르며 물었다.

"그래, 설 형과 동료라고 했는데 다들 같은 일을 하시오?"

'같은 일? 무슨 일인데?'

어떤 일인지 알 리가 없었지만 화군악은 눈치 빠르게 대답했다.

"설 형님을 따라다니며 많이 배우는 중입니다."

설벽린이 황급히 웃으며 말했다.

"경력은 짧지만, 골동품 보는 식견만큼은 나보다 뛰어

난 친구랍니다."

"과찬이십니다. 아직 형님에 비해 한참 부족할 따름입니다. 그저 열심히 노력하고 있을 뿐입니다."

겸손한 화군악의 대답이 마음에 들었는지 조대평이 껄껄 웃으며 고개를 끄덕였다.

"이렇게 만난 것도 인연이니 나중에 항주에 오게 되면 한번 나를 찾아오시오. 그때는 형제의 예로써 화 형을 모실 터이니 말이오."

"그럼 나중에 꼭 찾아가 뵙고 형님께 폐를 끼치겠습니다."

그렇게 화군악과 조대평이 주거니 받거니 이야기를 하는 동안 새로 음식이 나왔다. 사람들은 곧 우육면과 오리구이를 안주 삼아 술을 마시기 시작했다.

시간이 흐르면서 객잔 안의 분위기는 후끈 달아올랐다. 꽤 오래간만의 휴식이고 술자리인지, 객잔 안의 철목가 무사들은 상당히 흥에 취해서 술을 권하고 마셨다. 객잔 전체가 들썩거리고 있었다.

그러던 어느 순간이었다.

객잔의 문이 열리고 한 명의 건장한 노인이 서너 명의 호위들과 함께 들어섰다.

일순 떠들썩하던 장내 분위기는 온데간데없이 사라졌다. 술에 취해 노래를 부르던 무사나 고래고래 악을 쓰며 떠들던 자도 모두 입을 다물고 자리에서 벌떡 일어났다.

그건 조대평도 마찬가지였다.

그는 객잔에 들어선 건장한 노인을 보자마자 술잔을 내려놓고 자리에서 일어나 부동자세를 취했다.

갑작스러운 조대평의 행동에 설벽린은 영문도 모른 채 뒤를 돌아보았다. 이내 그의 얼굴이 새파랗게 질리나 싶더니 이내 허둥지둥 자리에서 일어났다. 동시에 그는 자신의 양쪽 옆자리에 앉아 있던 유 노대와 화군악을 일으켜 세웠다.

역시 무슨 일인지 몰라 화군악이 뒤돌아보려 할 때 설벽린이 낮은 목소리로 소곤거렸다.

"철목가 가주다."

화군악의 얼굴이 딱딱하게 굳어졌다. 유 노대의 표정도 미미하게 흔들렸다.

그들은 객잔 입구와 등을 지고 서 있어서 철목가 가주의 얼굴을 직접 확인할 수는 없었다. 하지만 객잔에 가득 찬 경건하고 근엄한 분위기만으로 충분히 그의 위엄을 인지할 수 있었다.

한순간 공기가 달라졌다. 쥐 죽은 듯이 조용한 가운데 누군가 마른침을 꿀꺽 삼키는 소리가 희미하게 들려왔다. 정적과 적막이 창밖의 눈처럼 내려앉고 있었다. 술잔에서 술 방울 떨어지는 소리가 들릴 것만 같았다.

긴장과 초조함이 극도로 달할 때였다.

"다들 푹 쉬는 중인가?"

카랑카랑한 목소리가 들려왔다. 순간 객잔이 뒤흔들릴 정도로 엄청난 함성이 터져 나왔다.

"네!"

"예!"

객잔에 있는 모든 무사들이 일제히 외친 대답이 쩌렁쩌 렁하게 울려 퍼졌다. 이 층 난간이 흔들리고, 객잔 벽면에서 먼지가 우수수 떨어져 내렸다.

"좋아."

카랑카랑한 목소리가 다시 들려왔다.

"오늘은 푹 쉬고 내일 다시 달려서 성도부까지 하루 만에 도착하는 거다. 알겠느냐?"

"존명!"

"알겠습니다!"

사람들이 다시 크게 소리쳤다.

한 차례 문이 열렸다가 다시 닫히는 소리가 들렸다.

가주가 객잔을 빠져나갔음에도 사람들은 한동안 그렇게 서 있었다. 뒤늦게 한 사람씩 자리에 앉는가 싶더니 이내 다시 분위기가 뜨겁게 달아올랐다.

"가주께서 오늘은 진탕 마시라고 하셨다!"

"아예 끝을 봐야지! 여기 객잔에 있는 술을 모두 가져

와라!"

사람들은 저마다 크게 소리치며 분위기를 고조시켰다.

"대단하군."

화군악이 낮은 목소리로 중얼거렸다.

"직접 보진 못했지만, 등 뒤에서 풍기는 그 위세만으로도 충분히 알 수 있겠어. 이 철목가의 가주라는 자, 지금껏 내가 만난 그 누구보다도 강해. 심지어 담 형님보다 말이지."

그의 이마에 식은땀이 흐르고 있었다.

조대평이 잠시 소피를 본다고 자리를 빠져나갔다. 남은 세 사람, 화군악과 설벽린, 유 노대는 이때다 싶어 얼른 대화를 나누기 시작했다.

"분명 그것 때문에 철목가 가주가 직접 출정한 거겠지?"

"그것 말고는 또 다른 게 있겠어요?"

화군악이 한숨을 쉬었다.

설벽린을 잡기 위해 철목가의 둘째 부인은 철혈대를 보냈으나 외려 설벽린과 장예추, 화군악에 의해 모두 목숨을 잃었다.

그러자 이번에는 광철단 백오십 명이 출동했다. 하지만 그들은 성도부 화평장에서 무적가 무인들과 더불어 몰살당하고 말았다.

그렇게 철혈대와 광철단이 실종되자, 아예 이번에는 철목가 가주 정극신이 직접 수백 명의 수하를 이끌고 출정한 것이다.

"이게 다 형님 때문이라고요."

화군악이 투덜거리자, 설벽린은 머쓱하게 머리를 긁적이며 말했다.

"어떻게 하지? 강 형님은 모르고 있을 텐데."

"그러니까요. 지금 장원에는 강 형님 말고 아무도 없잖습니까?"

담우천과 장예추는 퇴각하는 무적가 무사들의 뒤를 쫓고 있었다. 야래향을 비롯한 여인네들은 당문을 방문하러 나선 상황이었다. 기껏해야 장원에는 소묘아와 고로투, 그리고 아란과 고굉만 남아 있을 따름이었다.

"아무래도 다시 돌아가야겠지?"

설벽린의 말에 화군악은 잠시 고민하며 대청 주위를 둘러보았다.

이곳에만 이삼백 명이 몰려들어서 술을 마시고 음식을 먹고 있었다. 별채에도 이만한 숫자가 진을 치고 있을 것이다.

즉, 아무리 못해도 사오백 명에 가까운 대군이 정극신과 더불어 성도부로 진격하고 있는 상황인 셈이다.

그런 상황에서 화군악과 설벽린, 유 노대가 강만리와 합류해 봤자 별다른 도움이 되지 못할 게 분명했다.

　차라리 한 명 정도 성도부로 돌아가 이 상황을 전달하게 하고, 나머지 두 명은 좀 더 빠르게 붕방 기인들의 흔적을 찾는 게 나을 것 같았다.

　'그럼 설 형님이 가는 게 나을까, 내가 가는 게 나을까?'

　화군악은 빠르게 머리를 굴렸다.

　'붕방 사람들을 찾는 건 무공보다 언변과 기지가 더 중요하겠지. 그러니 무공이 조금 떨어진다고 하더라도 설 형님이 해내지 못할 이유가 없어.'

　화군악은 그렇게 결정했고, 곧 제 생각을 설벽린과 유 노대에게 전했다. 설벽린과 유 노대는 잠시 생각하다가 고개를 끄덕이며 화군악의 의견에 동의했다.

　"그 방법이 가장 좋을 것 같군. 그럼 넌 이들보다 먼저 달려가서 형님께 도망치라고 전해 드려."

　"그럴 작정이에요. 태풍이 불 때는 잠시 피해 있는 게 상책이니까, 이들이 지쳐 다시 돌아갈 때까지 어딘가 몸을 숨기고 있겠어요."

　"아, 아란도 좀 챙겨 주고."

　설벽린은 마침 생각났다는 듯이 지나가는 말처럼 말했다. 화군악이 눈을 흘겼다.

　그때였다. 묵묵히 듣고만 있던 유 노대가 불쑥 입을 열었다.

"음, 좋지 않은걸."

"뭐가요?"

화군악이 그를 돌아보며 물었다. 유 노대의 얼굴이 딱딱하게 굳어져 있었다.

"아까 정 가주가 들어왔을 때 말이지."

"네."

"아무래도 우리의 기척을 눈치챈 모양이네."

화군악의 눈이 휘둥그레졌다.

"우리의 기척이라니요?"

유 노대가 살짝 인상을 찡그리며 말했다.

"정 가주의 압도적인 기세에 그만 나도 모르게 투기를 끌어올렸었거든."

"네에?"

화군악의 눈이 커졌다.

3. 대책

그것은 본능이었다. 등 뒤에서 호랑이의 기척을 느낀 사냥꾼처럼.

유 노대는 정극신의 압도적인 패기를 느끼자마자 스스

로를 보호하기 위한 투기를 끌어올렸다.

하지만 이내 자신의 실책을 느끼고 유 노대는 황급히 투기를 가라앉혔는데, 아무래도 정극신의 날카롭고 매서운 이목에서 벗어나지 못한 것 같았다.

"그 짧은 순간의 투기를 눈치챈 모양이야. 정 가주와 함께 들어섰던 호위들이 다시 이곳으로 오는 것 같네."

유 노대는 귀를 쫑긋거리며 말했다. 객잔 밖에서 걸어오고 있는 세 명의 발걸음 소리가 그의 귀를 자극하고 있었다.

화군악이 다급한 표정을 지으며 말했다.

"그럼 이렇게 가만 앉아 있을 수 없잖습니까? 그들이 오기 전에 얼른 빠져나가죠."

"그러세."

세 명은 곧장 자리에서 일어났다.

정문 쪽으로는 나갈 수가 없었으니 당연히 후문을 택해야 했다. 그들은 주방 옆 복도로 나 있는 후문을 향해 빠르게 걸음을 옮겼다.

마침 후문이 열리며 소피를 보러 나갔던 조대평이 들어서다가 그들을 보고는 눈을 크게 떴다.

"응? 어디를……."

설벽린이 웃으며 말했다.

"우리도 소피를 보려구요."

조대평이 세 사람을 번갈아 보며 피식 웃었다.

"사이가 좋구려."

그는 옆으로 몸을 움직여 길을 터 주며 말을 이었다.

"아, 측간은 다들 토하고 난리라 엉망이 되었으니 큰게 아니라면 아무 데에나 일을 봐도 될 것이오."

"알겠습니다."

설벽린과 두 사람은 조대평의 곁을 지나쳐 후문을 통과했다. 후문 밖은 좁은 골목길로 이어져 있었고 우측으로 가면 측간이, 좌측으로 가면 마을로 향하는 길이 나왔다.

여전히 폭설이 휘몰아치는 가운데, 그들은 왼쪽 골목길을 따라 빠르게 어둠 저편으로 사라져 갔다.

그렇게 세 사람이 도망친 것도 모른 채 조대평은 어슬렁거리며 제자리로 돌아갔다. 텅 빈 탁자는 세 명의 노인들이 에워싸고 있었다.

"응?"

그는 탁자 주위에 서 있는 노인들을 보고는 살짝 놀라며 허리를 숙였다.

"비룡맹군 소속 흑기당주(黑旗堂主) 조대평이 세 분 호법을 뵙습니다."

세 명의 노인 중 한 명이 냉랭한 목소리로 물었다.

"이곳에 있던 자들은 지금 어디에 있느냐?"

조대평은 영문을 몰라 하며 대답했다.

"소피를 보러 갔습니다만······."

"그들이 누구인지 아느냐?"

"네. 예전에 항주에서 알게 된 상인과 그 동료들입니다."

"됐다. 너는 이곳에서 다음 명령을 기다리도록 하라."

세 명의 노인은 싸늘한 목소리로 지시한 후, 곧장 후문으로 향했다.

조대평은 자리에 앉지도 못한 채 여전히 무슨 일인지 영문을 몰라 하는 얼굴로 그들이 돌아오기를 기다려야만 했다.

골목길을 벗어나자마자 세 사람은 빠르게 경공술을 펼쳤다. 지붕 위로 훌쩍 날아오른 그들은 지붕과 지붕을 밟으며 폭설이 쏟아지는 밤하늘을 날아갔다.

반 각도 채 되지 않아서, 객잔 쪽에서 날카로운 파공성이 희미하게 들려왔다. 바로 그들의 뒤를 쫓아 날아오는 세 노인이 경공술을 펼치며 내는 소리였다.

"잡히겠어요."

설벽린이 당황해할 때였다. 유 노대가 그의 허리를 낚아채더니 이내 허공 높이 몸을 솟구쳤다가 빠르게 방향을 선회하며 날아갔다. 동시에 그는 화군악을 향해 전음을 펼쳤다.

-자네는 성도부로 돌아가게.

화군악은 망설이지 않았다.

설벽린의 속도에 맞추느라 제 능력을 전부 발휘하지 않던 그는 곧장 월령투영신의 수법을 펼쳤다.

스팟!

주변 풍광이 갑자기 흐릿해질 정도로 그의 신형은 빠르게 질주했다. 순식간에 그를 쫓던 파공성이 더 이상 들리지 않게 되었다.

밤의 지배자였던 야래향의 경신술이 극한의 경지로 펼쳐진 것이다.

"호오, 이것 참 괴이한 일이로군그래."

세 명의 노인은 처마를 밟고 표표히 서서 폭설이 휘몰아치는 밤하늘 저편을 바라보고 있었다. 비록 쫓아가 잡으려 했던 사람들을 놓친 후였지만, 그들의 얼굴에서 안타까운 기색은 전혀 보이지 않았다.

"그 노인은 운룡대팔식의 경공술을 펼치는 것 같았고…… 반대 방향으로 도주한 자는 야래향의 월령투영신을 펼친 것 같거든. 이게 있을 수 있는 일인가?"

"나도 믿어지지 않네."

"우리가 잘못 본 것일 수도 있지. 워낙 폭설이 쏟아지고 강풍이 불어서 착각한 것일 수도 있네."

"뭐, 어쨌든 놓쳤으니 할 수 없지. 돌아가서 가주께 그대로 보고드릴 수밖에."

"아, 아까 그 조 당주라는 아이를 함께 데리고 가는 게 좋겠군. 그 아이가 아는 사람이라고 했으니 말일세."

"그렇게 하세."

진지하게 대화를 나누던 세 명의 노인은 다시 몸을 돌려 객잔으로 날아갔다.

조대평은 정신이 하나도 없었다.

세 명의 호법에 의해 조대평은 납치되듯 객잔을 빠져나와, 별채에 머무는 가주 앞까지 끌려 나온 것이다.

가주 정극신은 조는 듯 차탁에 턱을 괴고 앉아 있었고, 그 앞으로 세 명의 호법이 나란히 서서 조대평에게 연신 질문을 던졌다.

"그래, 그들과 알고 있다고 했더냐?"

조대평은 사실대로 말했다.

"그중 한 명을 알고 있습니다. 나머지 두 동료는 오늘 처음 보았습니다."

"그들에 대해서 상세히 이야기해 보아라."

"속하가 알고 있는 자는 설벽린이라고, 골동품을 사고 파는 장사꾼입니다. 타고난 언변과 잘생긴 외모, 그리고 거침없는 돈 씀씀이로 인해서 재작년인가, 항주에서 명성을 크게 얻었습니다. 본가의 중진들과도 제법 많은 교류가 있던 걸로 압니다."

그때였다.

"그자의 이름이 뭐라 했나?"

조는 듯 지그시 눈을 감고 있던 정극신이 불쑥 입을 열어 조대평에게 물었다. 조대평은 감히 고개를 들지 못한 채 서둘러 대답했다.

"설벽린이라고 합니다."

"흠."

정극신은 가늘게 눈을 뜬 채 조대평을 지켜보다가 세 명의 호법을 돌아보며 말했다.

"그자를 잡아 오시게."

세 호법이 허리를 숙였다.

"명을 받들겠습니다."

* * *

화군악은 폭설을 뚫고 밤새 경신술을 펼쳤다.

아침이 되자 눈발이 약해지기 시작했다. 화군악은 한 번도 쉬지 않은 채 계속 관도를 따라 질주했다. 어느덧 날은 갰지만, 이틀 내내 워낙 많은 눈이 쏟아진 까닭에 관도를 이용하는 이들의 모습은 전혀 보이지 않았다.

그렇게 전력을 다해 경신술을 펼친 덕분이었을까. 그날 저녁 무렵, 화군악은 성도부에 당도할 수 있었다. 그는 곧장 화평장으로 향했고 게서 강만리와 정유를 만났다.

강만리가 눈을 동그랗게 뜨며 물었다.

"아니, 왜 돌아왔나?"

그제야 겨우 한숨을 돌린 화군악은 유하촌에서 있었던 일에 관해서 이야기했다. 그러고는 다급한 어조로 말을 이어 나갔다.

"아마 내일 아침에는 수백 명의 무사들과 함께 정 가주가 이곳에 당도할 겁니다. 그 전에 얼른 이곳을 빠져나가 은신해야 할 것 같습…… 으음?"

빠른 어조로 말하던 화군악의 목소리가 점점 작아졌다. 동시에 그의 눈에 의혹의 빛이 일렁거렸다. 철목가의 가주 정극신이 직접 쳐들어온다는 소식을 듣고도 강만리와 정유의 표정이 전혀 변하지 않았던 것이다.

"설마……."

그는 더듬거리며 물었다.

"이미 알고 계셨습니까?"

"응."

강만리가 무뚝뚝하게 말했다.

"이런."

화군악의 얼굴이 일그러졌다. 정유가 희미하게 웃으며

입을 열었다.

"내가 먼저 전해 드린 소식이네."

"아니, 그럼 굳이 예까지 죽을 둥 살 둥 달려온 보람이 없잖습니까?"

"그러니까 누가 그렇게 달려오라고 했나?"

강만리의 말에 화군악이 입을 삐죽였다.

"쳇. 형님의 안위를 생각해서 한달음에 달려온 제게 너무하신 거 아닙니까?"

"아니, 그 마음이야 고맙지. 하지만 그 정도는 나도 이미 대책을 세우고 있었으니까."

"네? 철목가 가주에 대한 대책을 세우셨다고요?"

"그럼. 그렇지 않고서 어찌 이렇게 태평하게 앉아 있을 수 있겠나?"

강만리는 배를 내밀며 말했다. 화군악이 궁금하다는 듯 한 걸음 의자를 당겨 앉으며 물었다.

"어떤 대책인지 말씀해 주실 수 있습니까?"

강만리는 거드름을 피우듯 천천히 입을 열었다.

"그게 말이지……."

10장.
일장춘몽(一場春夢)

우리가 먼저 이야기하지 않는다.
그저 이런저런 정보를 던져 주어서,
그들로 하여금 그 정보의 조각들을 하나씩 맞추게 만든다.
그렇게 맞춰진 정보로 인해 그들은 스스로 오해하고 착각할 것이고,
결코 우리를 의심하지 않을 것이다.

1. 정보 수집

며칠 전 내린 눈이 녹지 않은 가운데 수백 명의 사람이 성도부에 입성하고 있었다.

팔두마차 한 대와 백여 필의 말들과 함께 입성한 그들은 곧 성도부에서 가장 크고 화려한 객잔을 통째로 빌려 투숙했다. 또한 그들은 성도부에서 가장 아름답고 요염하며 색기 넘쳐흐르는 기녀들을 불러 모았다.

훗날 전해진 소문으로는 한 명의 노인을 위해 십여 명의 젊고 아름다운 기녀들이 전라의 상태로 봉사를 했는데, 외려 녹초가 되어 혼절하듯 쓰러진 건 그 기녀들이라고 했다.

물론 그 한 명의 노인이 철목가의 가주 정극신이라는 것과 오랜 여독(旅毒)을 풀기 위해 기녀들과 합방한 거라는 사실은 아는 사람들은 다 아는 비밀이었다.

정극신이 이끌고 온 수백 명의 철목가 무사들이 성도부에 짐을 풀자마자 시작한 일은, 약 십여 일 전 무적가 사람들이 쳐들어와서 벌였던 짓과 거의 동일했다.

철목가 무사들은 성도부 곳곳을 돌아다니면서 이곳에 자생하고 있는 흑도방파 무리들을 찾기 시작했다.

하지만 이미 한바탕 무적가라는 태풍이 휘몰아치고 지나간 성도부였다. 거의 대부분의 흑도방파가 괴멸된 상태였고, 몇몇 살아남은 흑도방파 무리들은 지하 깊숙이 숨어서 체력을 보존하는 중이었다.

철목가 무사들은 그런 뜻밖의 상황에 매우 당황하고 곤혹스러워했다. 그동안 이곳에서 무슨 일이 벌어졌는지 파악하기 위해서, 이곳에서 실종된 철목가 무사들의 행방을 찾기 위해서 그들은 동분서주했다.

하지만 별다른 성과를 얻어 내지 못한 채 애꿎은 시간만 천천히 흘러갈 뿐이었다.

* * *

흑의를 걸친 한 무리가 객잔에 들어섰다. 식사를 하고

있던 십여 명의 손님들이 그들을 보고는 슬그머니 자리에서 일어나 밖으로 빠져나갔다.

언제나 이런 식이었다.

철목가 무사들이 성도부에 입성한 후 그들을 대면한 성도부 사람들은 이렇게 말도 없이 자리를 피하고, 아예 같은 자리에 앉아 있을 생각조차 하지 않았다. 이게 다 무적가 무사들이 벌였던 한밤중의 참극에서 비롯된 일이었다.

"뭐야? 우리가 나병 환자라도 되는 건가? 얼굴 보자마자 도망치다니 말이지."

철목가 무사들 중 한 명이 투덜거렸다. 다른 무사가 동조하듯 고개를 끄덕였다.

"이렇게 다들 비협조적이라서 문제라니까. 그렇다고 마구잡이로 협박을 할 수도 없는 노릇이고."

"도대체 무슨 일이 있었기에 이렇게 우리를 두려워하는지조차 알 수가 없으니 정말 답답해 죽겠다니까."

"아, 그건 내가 조금 들은 바가 있네."

"응? 그래? 누구에게?"

"어제 몸을 풀기 위해 찾아갔던 유곽의 계집이 이야기해 주더군."

"이런, 또 자네 혼자서 그런 곳을 간 게야? 갈 때 같이 좀 가자니까."

"어제 자네들은 잔뜩 술에 취해 인사불성이 되지 않았나?"

"어제만 날인가? 오늘이라도 당장……."

"아니, 그게 중요한 게 아니지. 그래, 무슨 이야기를 들었는데?"

"흠, 보름 전 정도였을까? 백여 명의 무사들이 난데없이 성도부를 기습, 이곳에 있는 흑도방파들을 거의 괴멸시키다 하고 사라졌다고 하더군."

"그건 나도 알고 있네. 저기 남쪽 번화가에 붕괴된 건물 있잖은가? 그게 그 무사들이 저지른 일이라고 하더군."

"그 무사들의 정체까지 알고 있나?"

"아니, 그건 듣지 못했는데."

"무적가 사람들이라더군."

사내의 낮은 목소리에 동료들이 움찔거렸다. 그들은 본능적으로 주위를 살펴 기척을 확인하고는 빠른 어조로 물었다.

"정말인가?"

"그 계집 말을 믿을 수 있는 건가?"

동료들의 쏟아지는 질문에 유곽에서 정보를 가지고 온 사내는 나지막한 소리로 대답했다.

"놀랍게도 말이지. 바로 그 계집이 보름여 전 무적가

무사 중 한 명과 잠자리를 가졌던 게야. 그때 그 무사가 이야기를 해 줬다는 게지."

"오오, 그런 우연이……."

"그래, 뭐라고 이야기를 했다는 겐가? 무적가 사람들이 이곳 성도부의 흑도방파를 쑥대밭으로 만든 이유라도 말해 준 겐가?"

"그게 한 명의 여인을 찾는 중이라고 했다는 게야. 또한 이곳에서 실종된 무적가 사람들의 행방을 뒤쫓는 중이라고도 했다는 게고."

"으응?"

철목가 무사들은 서로를 돌아보았다. 뭔지 모를 묘한 느낌이 그들의 뒤통수를 후려친 까닭이었다.

그때였다.

왁자지껄한 소리와 함께 대여섯 명의 사내들이 객잔 안으로 들어섰다.

"여봐라, 얼른 이 나리들에게 술과 음식을…… 헉!"

거들먹거리며 점소이를 부르던 사내들은 창가 쪽에 앉아 있는 철목가 무사들을 보고는 헛바람을 집어삼켰다.

그러고는 허둥거리며 서로 눈치를 살피다가 조심스레 구석진 자리를 잡았다. 점소이가 빠르게 다가가 주문을 받고 주방으로 달려갔다.

중년 사내들은 성도부의 장사꾼들인 듯 나지막한 소리

로 요즘 경기라든가, 물가라든가 등등에 대해서 대화를 나누었다.

잠시 그들의 낮은 목소리로 소곤거리는 대화에 귀를 기울이던 철목가 무사들이 관심을 끊고 다시 자신들의 이야기에 집중할 때였다.

"아, 이번에 강 포두의 도움을 크게 받았네."

장사꾼 중 한 명의 목소리가 철목가 무사들의 귓가에 걸렸다.

"역시 성도부의 일이라면 강 포두만 한 해결사가 없지. 그분을 통해서라면 안 되는 일이 없다니까."

"그러니까 말일세. 관아에 있을 때는 명포두이더니 관직을 벗은 이후에는 명해결사가 되셨어. 나도 그 양반 덕분에 곤란한 처지에서 벗어난 적이 있으니까 말일세."

"그래. 강 포두, 그리고 연풍회(軟風會)를 거쳐서 해결되지 않는 성도부 일이라는 건 있을 수가 없지."

"응? 연풍회는 또 뭔가?"

"어라? 자네, 아직도 연풍회에 대해서 모르나?"

"그래. 도대체 뭐하는 집단인데?"

"이런, 이렇게 정보가 느려서야 어찌 장사하는 몸이라고 이야기를 할 수가 있나?"

"잘 듣게. 연풍회는 요즘 새로 떠오르고 있는 정보 조직일세. 그곳에 가면 성도부의 모든 정보를 다 사고팔 수가 있지. 자네 마누라 엉덩이에 점이 있는지부터 오늘 밤 지부 대인이 누구와 술자리를 갖느냐 하는 것까지, 모든 정보를 얻을 수가 있다네."

"그래. 예전에는 황계나 흑개방이 유명했다면 지금은, 그리고 성도부에 한해서는 연풍회가 최고라는 게야."

"으음, 장사하느라 한 반년간 성도부를 떠나 있었더니 그런 곳이 생겼군그래."

"그래. 그래서 잘 몰랐던 게로군그래? 하기야 연풍회 가 막 이름을 떨치기 시작한 것이 약 반년 전의 일이었으 니까 말일세. 모를 수밖에 없겠네그려."

"허허. 이제라도 알게 되었으니 다행이지. 그럼 이제 강 포두와 연풍회만 기억해 두면 되는 거겠지?"

"그렇지."

장사꾼들로 보이는 사내들의 대화는 게서 잠시 멈췄 다. 점소이들이 막 술과 음식을 날라 왔던 것이다.

식사를 하는 동안 그들의 대화는 다른 화제로 바뀌었 다. 어느 품목이 잘 팔리는지, 또 서안에서는 어느 원단 이 유행이라는지 하는 식의 대화가 계속 이어졌다.

철목가 사람들은 아무런 말 없이 그들의 대화를 엿듣 고 있다가 식사를 마친 후 천천히 자리에서 일어났다. 그 러고는 서둘러 밖으로 걸어 나왔다. 채 녹지 않은 눈들이 성도부 거리를 뒤덮고 있었다.

"그럼 이제 우리가 할 일이 생겼군그래."

철목가 무사들 중 한 명이 입을 열었다. 다른 동료가 고개를 끄덕이며 말을 받았다.

"강 포두라는 자와 연풍회부터 찾아야 하는 거겠지? 성도부 일이라면 그들에게 의뢰하는 게 최선이라고 했으니 말이지."

2. 세 단주

"잘되어 가는 것 같아?"

"물론입니다, 아가씨. 사람들을 풀어서 계속 연풍회와 강 장주님 이야기를 하고 있는 중입니다. 몇몇 철목가 무사들은 벌써 연풍회의 위치와 어떻게 하면 강 장주님과 접촉할 수 있는지 수소문하고 있답니다."

"좋아. 그럼 곧 나를 찾아오겠네?"

"네. 아무리 늦어도 이틀 안에는 아가씨를 찾아올 겁니다. 물론 강 장주님에게도요."

"오라버니께도 그리 말씀드렸어?"

"물론입니다. 아가씨께서 잘하고 계신다고 칭찬하시더군요."

"그런 말은 더 일찍 해 줘야지. 좋아. 계속해서 팍팍 소

문을 뿌리고 돌아다녀. 특히 정 가주가 솔깃해할 만한 이
야기들로 말이야."

"그리하겠습니다."

* * *

철목가는 칠단십이순찰대, 철목칠십이살, 그리고 십이
호법가신 등으로 구성되어 있었다. 그중 정극신을 따라
철목가를 나선 자들은 십이호법가신 중 셋, 철목칠십이
살 중 열 둘, 그리고 칠단 중 삼개 단이었다.

유하촌에서 세 명의 호법가신이 정극신의 명령을 받고
설벽린의 뒤를 쫓아갔으니, 성도부에 들어선 이들은 철
목십이살과 삼개 단, 백오십 명이 전부였다.

그 삼개 단의 단주들은 각각 무적검군(無敵劍君), 비룡
맹군(飛龍猛君), 금강천존(金剛天尊)이라고 하는데, 그들
은 각자 백오십 명의 단원을 이끌고 성도부 전역을 수색
하며 기존 철목가 사람들의 흔적과 행적을 찾아다녔다.

말단 무사들의 입을 통해서 그들의 귀에까지 연풍회와
강 포두라는 전직 포두에 관한 이야기가 들어간 건, 철목
가 무사들이 성도부에 입성한 지 사흘째 되던 날이었다.

세 명의 단주는 곧 강 포두에 대해서 알아보았다. 성도
부의 유명한 전직 포두이며, 지금은 강호의 이런저런 일

들을 해결해 주는 무림포두로 이름난 자였다.

"들어 본 적이 있네. 몇 년 전 황궁 연쇄살인 사건을 해결한 자가 성도부의 전직 포두였다고 했던가?"

금강천존의 말에 다른 두 단주도 고개를 끄덕였다.

"저도 천왕가가 성도부의 전직 포두 하나 때문에 큰 곤란을 겪고 있다는 소문은 들은 바가 있소이다."

"그 전직 포두가 이곳에 살고 있었구려."

그들은 또 연풍회에 대해서도 정보를 모았다.

대략 반년 전부터 실적을 올리기 시작한 정보 조직으로, 놀랍게도 회주는 아름다운 여인이라고 알려져 있었다.

또한 적어도 성도부 내에서 일어나는 일이라면, 금액만 맞으면 무엇을 원하던 그 대답을 해 줄 수 있다고 했다.

"그럼 돈만 내면 본가의 사람들이 이곳에서 어떻게 실종되었는지 말해 줄 수 있다는 것인가?"

"그걸 믿을 수 있겠소이까?"

"밑져야 본전 아니겠소? 행여 거짓말을 하는 거라면 그 자리에서 목을 베도 될 테니까."

"흠, 어쨌거나 만나서 이야기하는 게 우리에게 큰 손해는 아니니까 말일세."

세 사람은 그렇게 결론을 내리고 전직 포두 강만리와 연풍회주를 만나기로 했다.

그날 점심 무렵, 세 사람은 성도부 북쪽 거리에 위치한 태화객잔(泰華客棧)에서 식사를 하고 있었다.

금강천존은 예순이 넘은 노인으로, 지난 사십여 년 동안 정극신을 따라다니며 보필해 온 명장 중의 명장이었다. 또한 실질적인 칠단의 수좌로, 가주 정극신을 대신하여 철목가 무사들을 총지휘하는 인물이기도 했다.

무적검군과 비룡맹군은 사십대 중후반의 장년인들로, 그 위세만큼은 금강천존에 비해서도 절대 뒤지지 않는 용장(勇將)들이었다.

그들의 무공은 철목가 내에서도 손가락 안에 꼽힐 정도로 대단했는데, 특히 무적검군의 검은 가주 정극신의 검보다도 강하다고 알려져 있었다.

아무런 말 없이 식사를 마친 그들 세 사람은 또 역시 아무 말 없이 차를 마시거나 술을 따라 마셨다.

그렇게 약 반각가량이 흘렀을 때였다. 문이 열리고 한 명의 사내가 뒤뚱거리며 들어섰다.

객잔 대청에는 오직 무적가 단주 세 사람만이 앉아 있었다. 지배인이 나서기도 전에 사내는 곧장 그들이 앉아 있는 곳으로 걸어가 손을 모았다.

"강만리라고 합니다."

"이리 앉으시오."

금강천존이 웃으며 자리를 가리켰다. 사내, 강만리는

거침없이 자리에 앉았다.

세 명의 단주는 강만리라는 사내를 가만히 살펴보았다.

멧돼지와 같은 자였다. 조그마한 눈에 특징 없는 얼굴의 사내였다. 걸음걸이를 보건대 대단한 무공을 익힌 것 같지는 않았지만, 그럼에도 불구하고 뭔가 평범하지 않은 기운을 흘리고 있었다.

마치 오랫동안 전쟁터를 누비면서 살아남은 노병(老兵)의 관록과 노회함이 그의 전신에서 풍겨 나오고 있었다.

비룡맹군이 불쑥 물었다.

"우리가 누군지 아오?"

강만리는 당연하다는 듯이 대답했다.

"철목가의 삼대 단주들이 아니십니까? 방금 말씀하신 분이 비룡맹군, 저쪽 노인분이 금강천존, 그리고 이쪽 냉막한 표정을 하신 분이 무적검군."

강만리의 정확한 대답에 비룡맹군은 심드렁한 표정을 지으며 중얼거렸다.

"뭐, 그 정도는 간단하게 조사하면 다 알 수 있으니까."

강만리는 살짝 눈살을 찌푸리며 말했다.

"제게 의뢰가 있다고 해서 굳이 이렇게 찾아왔습니다만……."

"그렇소."

비룡맹군이 다시 물었다.

"그런데 의뢰를 맡기기 전에, 우리가 무슨 의뢰를 맡기려고 하는지 알 수 있겠소?"

강만리는 가만히 그를 보며 되물었다.

"시험하시는 겁니까?"

"그렇소. 우리의 의뢰를 받아들일 자격이 있는지 먼저 확인하고 싶어서 그렇소."

"흠, 평소 같으면 제가 먼저 거절하고 자리에서 일어설 일이지만…… 그래도 철목가의 의뢰라 하니, 한 수 접어 드리겠습니다."

'호오.'

비룡맹군의 눈빛이 가늘어졌다.

일개 전직 포두 따위가 세 명의 절정 고수를 앞에 두고 전혀 기죽거나 두려워하지 않는 것이다. 그렇게 세상 물정을 모르는 것일까.

아니다. 그건 확실히 아니다. 강만리가 이곳 객잔 대청에 들어서는 순간 비룡맹군도 확실히 느낄 수 있었으니까.

'나름대로 한 수 재간을 지닌 친구로군.'

그렇지 않고서야 어찌 저렇게 당당하게 비룡맹군들과 마주할 수 있겠는가.

비룡맹군이 그런 생각을 하고 있을 때 강만리가 다시

입을 열었다.

"의뢰 내용을 정확하게 알 수는 없지만, 그래도 대충 이런 쪽이 아닐까 생각은 하고 있습니다. 어쨌거나 철목 가분들이 예전에도 성도부를 찾은 적이 있으니까, 그분들에 관한 의뢰일 가능성이 높지 않겠습니까?"

일순 세 단주의 눈빛이 예리하게 빛났다. 비룡맹군이 강만리의 얼굴을 똑바로 노려보며 빠르게 물었다.

"철목가 사람들이 이곳에 온 걸 알고 있소?"

강만리는 곧바로 대답했다.

"왜 모르겠습니까? 백오십 명가량의 대부대가 우르르 들이닥쳐서 동네방네 다 뒤집고 돌아다녔는데요."

"뒤집고 돌아다니다니, 그들이 뭘 찾고 있었는데?"

"그야 잘 모르죠. 철목가분들의 행사에 감히 제가 고개를 기웃거릴 수 있겠습니까? 괜히 기웃거리다가 단칼에 목이 날아갈 수도 있는데 말입니다."

맞는 말이다.

하지만 그게 전부는 아닐 것이다. 이자의 얼굴과 표정, 말투를 보건대, 뭔가 알고 있는 게 있을 것이다.

비룡맹군은 그렇게 생각하며 다시 입을 열었다.

"소문을 듣자 하니 그대에게 의뢰하면 반드시 좋은 결과가 나온다고 하던데 사실이오?"

"과장된 소문입니다. 그저 욕먹지 않을 정도입니다."

"흠, 그럼 우리가 당시 이곳에 들렀던 철목가 사람들의 행방과 그들이 이곳을 찾은 목적 등에 대해서 의뢰한다면 어떨 것 같소?"

강만리는 처음으로 대답하지 않았다.

그는 엉덩이를 긁적거리거나 턱을 매만지면서 생각에 잠겼다. 세 명의 단주는 그를 재촉하지 않고 천천히 차를 마시거나 술을 즐겼다.

이윽고 강만리가 입을 열었다.

"간단한 답이라면 지금 당장 말씀드릴 수 있을 것 같고, 제대로 된 답을 원하신다면 보름 정도 걸릴 것 같습니다."

일순 세 단주는 저도 모르게 서로를 돌아보았다. 비룡맹군이 헛기침을 하며 목을 가다듬고는 다시 말했다.

"그럼 간단한 답이라도 한번 해 보시오."

강만리가 손을 내밀었다.

"의뢰비가 있어야 답을 드릴 텐데요."

비룡맹군이 가볍게 눈살을 찌푸리고는 품에서 전표 한 다발을 꺼내 그중 몇 장을 건넸다.

강만리는 전표를 품에 넣으며 입을 열었다.

"당시 이곳을 찾은 철목가분들은 다름 아닌 광철단 소속의 무사들이셨던 것 같은데, 맞습니까?"

'으음.'

비룡맹군은 고개를 끄덕였다.

"맞소."

"그분들이 성도부 전역을 돌아다니며 수소문한 건 두 가지였습니다. 하나는 십삼매라는 여인에 대한 것이고, 다른 하나는 무적가 사람들에 대한 정보였습니다."

"십삼매? 무적가?"

생전 처음 들어 본다는 듯 비룡맹군의 눈이 커졌다. 강만리는 고개를 끄덕이며 말했다.

"그렇습니다. 당시 무적가 사람들도 이곳 성도부에 있었거든요."

"무적가 사람들이?"

"그렇습니다. 그리고 어느 날 갑자기 무적가 사람들과 철목가 사람들 모두 동시에 자취를 감췄습니다."

강만리의 말에 세 명의 단주는 다시 한번 서로를 돌아보았다. 쉽게 믿어지지 않는 이야기가 저 멧돼지같이 생긴 사내의 입에서 흘러나오고 있었다.

3. 연풍회(軟風會)

"아란이라고 해요. 이렇게 철목가 어르신들을 만나 뵙게 되어 영광입니다."

아름다운 여인이 주렴(珠簾)을 사이에 두고 세 명의 단주를 향해 인사했다.

단주들이 앉아 있는 이 조그만 방은 연풍회에서 마련한 곳이었다. 어렵게 연풍회의 회주와 연락을 할 수 있게 된 단주들은 그녀를 만나기 위해 직접 연풍회가 지정한 이곳으로 행차해야 했는데, 확실히 정보를 다루는 집단답게 그 행사는 매우 은밀하고 신속했다.

'가짜 침소일 게다.'

노회한 금강천존은 밀실 주변을 둘러보며 생각했다.

언뜻 보기에는 온갖 화려한 치장과 다양한 장신구들로 장식된 여인의 침소 같은 밀실이었지만, 이게 다 거짓으로 꾸며진 방이 분명했다.

또한 훗날 다시 금강천존 일행이 이곳을 찾아왔을 때는 분명 연풍회의 그 어떤 흔적도 남아 있지 않을 게 뻔했다. 그렇게 자신들의 신분을 감추고 숨기는 은밀함이야말로 살수 조직이나 정보 조직들의 본질적 특성이니까.

"황금 만 냥을 준비하셨다고요? 도대체 어떤 정보를 원하시는지 외려 걱정이 드네요."

세 단주는 가만히 그녀를 바라보았다.

아란이라 스스로를 소개한 여인의 목소리는 몽환적이었다. 주렴 저편으로 보이는 그녀의 눈빛은 요염했으며 미소는 달콤했다.

조금 더 나이가 어리거나 혈기 왕성한 사내들이라면 정보고 뭐고 상관하지 않고 달려들 정도로 색기가 넘쳐흐르는 여인이었다.

　'무공은?'

　강만리도 그러했지만 이 여인 또한 그리 강해 보이지는 않는다.

　외려 세 단주를 이곳으로 안내했던 젊은 청년이 훨씬 더 강하게 느껴졌다. 처음 그 청년과 마주했을 때, 세 단주는 저도 모르게 기를 끌어올렸으니까.

　"만나서 반갑소."

　이번에도 비룡맹군이 입을 열었다.

　역시 강만리 때와 마찬가지로 다른 사람들과 대화를 나누는 건 비룡맹군이 도맡아 하는 듯했다.

　"성도부에 관한 한 황계나 흑개방보다 더 뛰어난 정보력을 지니고 있다고 들었소."

　아란이 방긋 웃었다.

　"사실이에요."

　담대했다.

　철목가의 세 단주를 앞에 두고 결코 비굴하거나 기죽지 않는다. 이건 이쪽 성도부 사람들의 일반적인 기질인가.

　"광철단주와 단원의 행방을 알고 싶소."

　비룡맹군은 단도직입적으로 말했다.

"또한 그들이 이곳에서 무얼 원했는지, 무얼 하고 있었는지도 알고 싶소."

아란은 그럴 줄 알았다는 듯이 고개를 끄덕이며 말했다.

"어제 강 포두를 만나셨다고 하던데 역시 그것 때문이었나 보네요."

세 단주의 눈빛이 가늘어졌다.

"우리를 염탐하고 있었소?"

"어디 염탐이라고 할 것까지 있나요?"

아란은 달콤하게 웃으며 말했다.

"워낙 쟁쟁하신 분들이 오신 까닭에 성도부 모든 사람들의 이목이 여러분들께 쏠려 있을 따름이에요. 여러분들의 행동 하나하나는 곧 성도부 사람들의 화제나 술안주가 되니까요."

"흥! 할 일도 없나 보군그래."

"그렇게 말씀하시면 서운하죠. 실은 보름여 전에 한바탕 소란이 있었거든요. 무적가의 무사들이 다짜고짜 쳐들어와서 성도부 흑도방파를 깡그리 뭉개 버렸으니까요. 그래서 어쩌면 여러분들도 그런 일을 저지르지 않을까, 다들 걱정하는 눈으로 주시할 따름이에요."

"우리는 그렇게 함부로 사람을 죽이지 않소."

"잘 알고 있답니다. 철목가분들이 무적가 사람들과는

달리 대협(大俠)들이라는 사실을 말이죠. 좋아요. 그럼
이제부터 황금 만 냥짜리 정보를 풀기로 할까요?"

* * *

문 앞을 지키고 서 있던 화군악은 내심 긴장의 끈을 늦
추지 않았다.

상대는 어디까지나 철목가의 삼대 단주들이었다. 만에
하나 그들이 다른 마음을 먹고 움직인다면 아무리 그라
할지라도 막을 수가 없었다. 아란은 물론 그 역시 온전하
게 이곳을 빠져나갈 수 없으리라.

그만큼 아란이 중요했다.

단주들이 원하는 정보를 적절하게, 모든 걸 내주지 않
으면서도 또한 단주들이 고개를 갸웃거리지 않고 어찌
된 상황인지 이해하고 파악할 수 있을 정도만큼 이야기
를 해 주어야 했다.

너무 과하면 이쪽의 정체가 드러날 수도 있었고, 반대
로 너무 부족하면 저들의 의심을 살 수 있었다. 그 중간,
딱 적당한 정도의 정보를, 사실과 거짓이 혼합된 상태로
전해 주는 게 그녀의 역할이었다.

화군악은 귀를 기울이며 방 안에서 들려오는 소리를 엿
듣고자 했다.

하지만 방 안에서는 아무런 소리도 새어 나오지 않았다.

'역시 헌원 노대라니까.'

화군악은 쓴웃음을 흘렸다.

이 밀실을 꾸민 이는 헌원중광이었다. 만에 하나, 무슨 일이 생겼을 경우 세 명의 단주들을 가둬서 빠져나오지 못하게끔 만든 밀실답게 그 안에서는 어떤 소리도 새어 나오지 않고 있었다.

'그나저나 무적가를 이런 식으로 이용하다니…… 역시 강 형님이시다.'

화군악은 내심 강만리에 대해 다시 한번 감탄하고 있었다. 이런 식으로 철목가 가주 정극신을 상대할 줄 전혀 예상하지 못했다.

'만약 우리 일만 아니라면 진짜 굿이나 보고 떡이나 먹을 상황인데 말이지.'

화군악이 그렇게 생각하며 입맛을 쩝쩝 다실 때였다. 갑자기 와락! 문이 열리고 세 명의 단주가 황급히 밖으로 걸어 나왔다.

화군악이 고개를 숙였다. 그 뒤에서 아란의 목소리가 들려왔다.

"가신다는구나. 안내해 드려라."

"네, 회주."

화군악은 얼른 단주들을 안내했다. 단주들의 표정은 냉

랭하고 심각해 보였다. 화군악은 아무런 말없이 그들을
건물 밖까지 안내했다.

"그럼 살펴 가십시오."

화군악이 입구에서 허리를 숙이며 인사하자, 세 단주
중 한 노인이 문득 그를 돌아보며 입을 열었다.

"예기(銳氣)를 감추려면 철저하게 숨기게. 그렇게 어중
간하게 투기를 내비치면 이쪽도 괜히 긴장되니 말일세."

화군악은 여전히 허리를 숙인 채 대답했다.

"아직 수련이 부족한 까닭입니다. 좀 더 수양하겠습니
다."

"흠…… 그 아란이라는 아가씨 밑에 있기에는 아까운
친구로군그래."

노인, 금강천존은 가만히 화군악을 지켜보다가 한마디
를 남기고는 자리를 떴다.

화군악은 그들 세 단주의 모습이 사라진 후에야 비로소
허리를 폈다. 뒤를 돌아보자 삼층 다관(茶館)의 우뚝 서
있었다. 이날을 위해 특별히 빌렸던 다관이었다.

화군악은 한 차례 어깨를 으쓱거린 후 다관 안으로 걸
어 들어갔다.

아란은 마침 밀실에서 나와 대청에 앉아 차를 마시고
있었다. 화군악은 그녀의 맞은편 자리에 앉으며 물었다.

"어떻게 되었어요?"

아란은 한숨을 길게 내쉬더니 이내 방긋 웃으며 말했다.

"잘된 것 같아요."

"다들 속은 게 확실해요?"

화군악이 재차 물었다.

"광철단의 실종이 무적가 때문이라고 생각할까요?"

"아마도요."

아란은 찻잔을 들며 말했다.

"그렇지 않고서야 그리 굳은 얼굴로 밀실을 빠져나가지 않았을 테니까요. 무엇보다 무적가 역시 상당한 인물들이 광철단과 거의 동시에 실종되었다는 이야기를 듣고 대충 무슨 일이 있었는지 짐작했을 거예요."

화군악이 고개를 끄덕이며 중얼거렸다.

"그래야죠. 그렇게 무적가 사람들과 광철단이 이곳 성도부에서 마주친 후 시비를 겪게 되고 결국 양패구상(兩敗俱傷)하고 말았다는 걸 그들 스스로 생각하게끔 만들어야죠. 그게 강 형님의 계획이니까요."

우리가 먼저 이야기하지 않는다.

그저 이런저런 정보를 던져 주어서, 그들로 하여금 그 정보의 조각들을 하나씩 맞추게 만든다. 그렇게 맞춰진 정보로 인해 그들은 스스로 오해하고 착각할 것이고, 결코 우리를 의심하지 않을 것이다.

그것이 바로 강만리가 철목가를 상대하는 방법이었다.

"그럼 이제 돌아가죠."

화군악이 자리에서 일어났다. 아란은 아쉬운 듯 다관 대청을 둘러보며 중얼거렸다.

"연풍회라니, 아아…… 일장춘몽(一場春夢)치고는 꽤 그럴듯했어요. 진짜 마음에 들었거든요. 내가 정보 조직을 만들면 꼭 이런 식이 되겠구나 싶었어요."

화군악이 말했다.

"그럼 그렇게 만들면 되죠."

아란이 은은하게 눈을 흘기며 물었다.

"그럼 그때도 내 호위를 맡아 주실 건가요?"

화군악이 웃었다.

"설 형님이 맡아 주실 거예요."

아란이 입술을 삐쭉거렸다.

(무림오적 26권에서 계속)

원섭 현대 판타지 장편소설

책 읽는

음악천재

Book - Reading Musical Genius

가수의 꿈을 포기한 채, 가족을 위해
웹소설로 생계를 이어가던 27살, 서지훈

처음 만난 노인에게 받은 **한 알의 알약**
꿈을 잃었던 그에게 그것은 한 줄기 구원이 되었다
그를 통해 얻게 된 능력!

내가 쓴 소설의 주인공들의 능력을 이어 받는다!
최고의 춤꾼으로!
천상의 발라더로!
완벽의 프로듀서로!
누구보다 완벽한 플로우의 래퍼로!

"음…… 이번엔 이 캐릭터인가?"

작가 서지훈,
음악천재 서지훈이 되어 연예계를 평정한다!

예정된 멸망을 막기 위해 악명을 뒤집어쓴 리온
하나, 그에게 돌아온 것은 사형 선고뿐이었다

[프로토콜 발동.]
[멸망 방지 프로그램을 재시작합니다.]

『전직 사기꾼의 신앙생활』

"이번엔 무조건 양지에서 시작해야겠어."

회귀한 사기꾼은 사제가 되었고

"신께서는 여러분을 사랑하십니다! 믿습니까?"
"믿습니다!"
"믿으세요! 믿으시면 더욱 큰 사랑을 받으실 겁니다!"
"신이시여!"

사제나 사기꾼이나, 하는 일은 똑같다?

이젠 성스럽게 사기 치겠다
멸망을 거부하는 사기로운 신앙생활이 시작된다!

사는게죄 판타지 장편소설

전직 사기꾼의
신앙생활